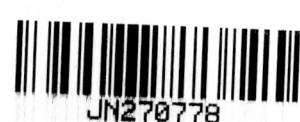

ことわざと四字熟語が
場面に合わせて
すぐ引ける大辞典

永岡書店編集部●編

本書の決まりと使い方

本書には、日常生活のあらゆる場面、例えばスピーチ、訓辞、手紙などに便利なことわざ・四字熟語を厳選して収録した。必要な場面で必要な表現をすばやく検索できるように、ことわざ・四字熟語の意味から場面別・用途別に分類されている。

第1〜7章では、使用頻度や意味の理解度という観点から、あまり使用されないもの、意味が難解なものなどは省き、なるべくよく使用され、意味の伝わりやすいものを選ぶように心がけた。ことわざ・四字熟語のうちでも比較的上級者向けの高度な表現に関しては、第8章に一部収録してある。

見出し語について：

①各項目の中で五十音順に配列した。

②漢字にはふりがなを加えた。

出典：

出典の詳細はコラムとして掲載したので参考にしていただきたい。

用例：

読者の参考になるような使用例を掲載した。

類語：

見出し語と類似した表現を掲載した。

反対：

見出し語と反対の意味の表現を掲載した。

※（補足）：

分類されている項目の他に使用できると思われる場面を、例として挙げた。使用の目安として参考にしていただきたい。

もくじ

第1章 祝う／励ます

第2章 いましめる

第3章 性格・状況を表す

第6章 世の中・生き方を表す

第7章 自然を表す

第8章 ワンランク上の物知り表現

第1章

祝う／励ます

- 入学
- ビジネス
- 結婚
- 出産
- 誕生日
- 年賀
- 災害・病気見舞い
- 災難

入　学

雨《あま》だれ石《いし》を穿《うが》つ

出典：『枚乗(ばいじょう)』

小さな力でも、根気よく長い間続けていればいつか成功すること。地道に努力を積み上げることの大切さを説いたり、人を励ましたりする場合全般に使う。

用例 ●**雨だれ石を穿つ**というように、毎日こつこつと続けることが成功の秘訣です。

類語 ●点滴石を穿つ／石に立つ矢／念力岩を通す

一《いち》意《い》専《せん》心《しん》

出典：『管子(かんし)』

ほかのことは一切考えず、そのことだけに心を向け続けること。一つのことに集中し、力を注いでいる姿勢を表す。

用例 ●失敗するのではという周囲の声をよそに、**一意専心**、研究にいそしみました。

類語 ●一心不乱

※ビジネスなど日常生活全般でも使える。

一《いっ》朝《ちょう》一《いっ》夕《せき》

出典：『易経(えききょう)』

一日か一晩ほどのわずかな期間。転じて、何かを成しとげるには短すぎるわずかな期間のこと。否定の表現を伴って使うことが多い。

用例 ●志望校には**一朝一夕**の努力で合格できると思わず、勉強を続けてください。／そんな難問は、**一朝一夕**には解決できません。

韋《い》編《へん》三《み》度《たび》絶《た》つ

出典：『史記(しき)』

書物を繰り返し熟読すること。晩年の孔子が易経（えききょう）を愛読し、なめし革でできた書物のとじひもを3回も切ったという故事から。

用例 ●難しい本でも**韋編三度絶つ**ほど熟読すれば必ず知識を得ることができるでしょう。

類語 ●韋編三絶《いへんさんぜつ》／読書百遍

蛍《けい》雪《せつ》の功《こう》

出典：『晋書(しんじょ)』

苦労しながら学問にはげむこと。また、勉学の目的を達成すること。「蛍雪」は蛍の光や窓の雪の明かりで読書したという故事から、苦学の象徴として使われる。

用例 ●彼の成功は、**蛍雪の功**のたまものとたたえられました。

類語 ●雪を積み蛍を集める／蛍の光窓の雪／蒲《ほ》を編む

鯉《こい》の滝《たき》登《のぼ》り

出典：『一宵話(いっしょうばなし)』

難関を越えて、めざましく立身出世するさま。黄河上流の龍門という滝を登りきった鯉が、龍となって天にのぼったという故事から。

用例 ●難関を突破して、本校に入学されたみなさんには、**鯉の滝登り**のような立身出世を期待します。

少《しょう》年《ねん》よ大《たい》志《し》を抱《いだ》け

出典：ウィリアム・クラーク（アメリカ）の言葉

「若者よ、大きな志を持って世の中に飛躍せよ」という励ましの言葉。卒業式など、子どもや若者の門出を祝うときに使われることが多い。

用例 ●卒業されるみなさんへのはなむけとして、「**少年よ大志を抱け**」という言葉を贈ります。

初《しょ》志《し》貫《かん》徹《てつ》

始めにこうと決めた意志や考え、願望を、くじけることなく最後まで貫き通すこと。人を励ましたり、人に対してよい評価をする場合全般に使う。

用例 ●**初志貫徹**して、毎日の早朝練習をがんばりなさい。／第一志望の学校に合格し、**初志貫徹**することができたのは、温かく見守ってくれた家族のおかげです。

好《す》きこそものの上《じょう》手《ず》なれ

出典：『根無草(ねなしぐさ)』

好きなことは集中して、繰り返し練習するため、上達するのが早いということ。勉学、スポーツ、仕事、趣味などで技能が優れている場合に用いる。

用例 ●「**好きこそものの上手なれ**」といいます。学生時代に何か一つ打ち込めるものを見つけてください。

類語 ●道は好む所によって安し／好きは上手の元

雀《すずめ》百《ひゃく》まで踊《おど》り忘《わす》れぬ

出典：『貞徳狂歌百首(ていとくきょうかひゃくしゅ)』

幼いころから身に付けた習慣や、特に道楽などは、年をとってもなかなか直らないということ。雀は死ぬまで、踊るように飛びはねる習性を続けることから。

用例 ● **雀百まで踊り忘れぬ**というように、幼いころ身に付けた知識は、大人になってから必ず役立つはずです。

類語 ● 三つ子の魂百まで

青《せい》雲《うん》の志《こころざし》

出典：『滕王閣序(とうおうかくじょ)』

立身出世して、立派な人物になろうとする大きな志のこと。「青雲」とはもともと高い青空という意味だが、転じて、高い地位を象徴している。

用例 ● 弁護士になるという**青雲の志**を胸に秘め、彼はついにA大学法学部に合格しました。

類語 ● 陵雲《りょううん》の志

切《せっ》磋《さ》琢《たく》磨《ま》

出典：『詩経(しきょう)』

懸命に努力し、学問、技芸、人格などを鍛え、磨きあげること。また、学校や職場などで、仲間どうしが互いに励まし合いながら向上に努めること。

用例 ● 選手どうしが互いに**切磋琢磨**すれば、チームの成績もきっと上がるでしょう。

※ビジネスなど日常生活全般でも使える。

栴《せん》檀《だん》は二《ふた》葉《ば》より芳《かんば》し

出典：『平家物語』

将来大物になる人は、子どものときから優れた性質が見られるということ。「栴檀」は白檀（びゃくだん）の異称で、二葉のころからよい香りを放つことから。

用例 ●彼女は幼少のころから、その抜きん出た才能で頭角を現し、**栴檀は二葉より芳し**と評されていました。

類語 ●生る木は花から違う／蛇《じゃ》は寸にして人を呑む

叩《たた》けよさらば開《ひら》かれん

出典：『新約聖書』

何事も積極的にやってみれば、必ず成功への道が開けてくるということ。神に救いを求める者に神は必ずこたえてくれるということから。

用例 ●失敗を恐れず、**叩けよさらば開かれん**の精神でチャレンジしよう。

類語 ●求めよさらば与えられん

※日常生活全般で励ます場合に使える。

読《どく》書《しょ》百《ひゃっ》遍《ぺん》義《ぎ》自《おの》ずから見《あらわ》る

出典：『三国志』

難しくてわかりにくい書物も、何度も繰り返して読めば、書かれている意味が自然にわかってくるようになるということ。

用例 ●わからないと決めつけずにこの参考書をじっくり読んでみましょう。**読書百遍義自ずから見る**こと請け合いです。

類語 ●誦数《しょうすう》以って之を貫く

習《なら》うより慣《な》れよ

出典：『毛吹草(けぶきぐさ)』

何事も人から習うより、自ら経験を積み慣れたほうがしっかり身につくということ。また机上の学問だけでは十分でなく、実地の経験が大切だということ。

用例●デザイナー志望のみなさんは、理論だけではなく**習うより慣れよ**の姿勢で、実習にもどんどん参加してください。

類語●亀の甲より年の劫

八《はち》十《じゅう》の手《て》習《なら》い

年をとってから学問や習いごとを始めること。晩学でも年齢に関係なく勉強したほうがよいという意味が込められている。

用例●**八十の手習い**でパソコンを始めるお年寄りがいるように、学問を始めるのに遅いということはありません。

類語●六十の手習い／老いの学問

反《はん》面《めん》教《きょう》師《し》

出典：毛沢東(中国)の言葉

他人の悪い面をまねしないことで、悪い結果を避け、自分の能力や知識の向上に役立てること。また見習うべきではない悪い見本そのものを指す。

用例●私の失敗を**反面教師**として、よい結果が得られるよう勉学に励んでください。

※日常生活全般で励ましたり、いましめる場合に使える。

三《み》つ子《ご》の魂百《たましいひゃく》まで

出典：『浮世風呂(うきよぶろ)』

幼いときに培われた性格や性質は、一生変わらないというたとえ。人間の基礎は幼時につくられ、そのあと容易に変わるものではないということ。

用例 ● 幼いころから読書が好きだったあなたが文学部に入学するとは、まさに**三つ子の魂百まで**ですね。

類語 ● 雀百まで踊り忘れぬ

出典解説【日本の作品】

● 浮世風呂（うきよぶろ）

関連ページ→ 14、40、69、117、119、142、152、164、186、195、204

式亭三《しきていさん》馬《ば》作、江戸時代後期の滑稽本。1809～13年刊。庶民の社交場であった銭湯を舞台に、さまざまな世相風俗を生き生きと描いた。同じ作者の手による『浮《うき》世《よ》床《どこ》』も、多くのことわざの出典となっている。

● 毛吹草（けふきぐさ）

関連ページ → 16、47、60、62、66、68、75、139、145、153、173、201、207、241、245

松《まつ》江《え》重頼《しげより》が編んだ、江戸時代前期の俳論書。1645年刊行。俳諧作法の解説と豊富な実作例に加え、諸国のことわざや名物も収録。俳諧のハウツー本としてだけでなく、百科全集としても人気を博した。

ビジネス

商《あきな》い三《さん》年《ねん》

商売は始めてから3年くらい経たなければ利益が出るようにならない。そのくらいの期間は辛抱して、商売を続けてみなければいけないという教え。

用例 ●**商い三年**とはよくいったもので、会社を設立して３年目くらいから、利益が出るようになりました。

類語 ●石の上にも三年／顎《あご》振り三年

案《あん》ずるより生《う》むが易《やす》い

出典：『悪太郎』

物事は思い切って行動に移せば、案外たやすくいくものだという意味。出産の心配も、子どもが生まれてしまえばたいしたことはなかったと思えることから。

用例 ●失敗を恐れず、**案ずるより生むが易い**と思って、この計画はすぐに実行しましょう。

類語 ●思うより産むが易い

※日常生活全般で励ます場合に使える。

一《いっ》国《こく》一《いち》城《じょう》

もともとは一つの国、一つの城という意味だが、多くは「一国一城の主（あるじ）」という形で使われ、独立して事業を営む人などをいう。

用例 ●会社を退職した彼はベンチャー企業を興し、**一国一城**の主となりました。／君を関連会社の社長に推薦したい。この機会に、**一国一城**の主になってみないか。

魚《うお》心《ごころ》あれば水《みず》心《ごころ》

出典：『関取千両幟(せきとりせんりょうのぼり)』

相手が好意的であれば、自分も相手に好意を示そうとするということ。相手の態度によって、こちらの態度も決まるということ。人間関係、交友関係全般に用いる。

用例●Ａ君とＢさんの**魚心あれば水心**といったチームワークは、営業成績に大きな貢献を果たしています。

類語●網心《あみごころ》あれば魚心／魚の水を得たよう

馬《うま》には乗《の》ってみよ、人《ひと》には添《そ》うてみよ

出典：『毛吹草(けふきぐさ)』

馬の良し悪しは実際に乗ってみなければわからないのと同様に、人柄の良し悪しもつき合ってみなければわからないということ。人間関係、交友関係全般に使える。

用例●外見だけで彼を判断してはなりません。**馬には乗ってみよ、人には添うてみよ**というではありませんか。

類語●馬には乗って鞍味を見よ

運《うん》は天《てん》にあり

出典：『西鶴織留(さいかくおりどめ)』

運命は天が決めるもので、人間の力ではどうにもならないということ。また、実行したあとは天命を待つだけなのだから、とにかく最善を尽くそうという自分への励まし。

用例●**運は天にあり**と思って、ベストを尽くしましょう。

類語●命《めい》は天に在り／運を天に任せる

得《え》手《て》に帆《ほ》を上《あ》げる

出典：『徳和歌後万載集(とくわかごまんざいしゅう)』

自分の得意とすることを行うのによい機会を得て、勇んですること。得意なことを行うチャンスは逃してはいけないという意味で用いることもある。

用例 ●アイデアが豊富な彼が新規事業の担当に抜擢されたとは、**得手に帆を上げる**チャンスだね。

類語 ●順風満帆《じゅんぷうまんぱん》／追風《おいて》に帆を上げる

蝦《えび》で鯛《たい》を釣《つ》る

出典：『合巻・教草女房形気(ごうかんおしえぐさにょうぼうかたぎ)』

わずかな元手しか使わずに、大きな利益を得ることのたとえ。略して「蝦鯛(えびたい)」ともいい、楽をして何らかの利得を得ること全般に用いる。

用例 ●余興のゲームで高価な賞品を手に入れたなんて、**蝦で鯛を釣る**ような話です。

類語 ●雑魚《ざこ》で鯛釣る／しゃこで鯛を釣る／麦飯《むぎいい》で鯉《こい》を釣る

大《おお》風《かぜ》が吹《ふ》けば桶《おけ》屋《や》が喜《よろこ》ぶ

物事がめぐりめぐって、思いもかけないところへ影響を及ぼすこと。また、あてにならないことを期待することのたとえ。

用例 ●遠い外国で起こった事件が、わが社に大成功を呼び込むなんて、**大風が吹けば桶屋が喜ぶ**ようなできごとですね。

類語 ●風が吹けば桶屋が儲かる

同《おな》じ釜《かま》の飯《めし》を食《く》う

かつて寝食をともにしたり、同じ職場で働いたりして、ともに苦楽をわかち合った間柄であること。仲間どうしで一つの釜からよそったご飯を食べたことから。

用例 ●**同じ釜の飯を食う**といいますが、彼とは新入社員時代から、まさにそういう仲です。

類語 ●一つ釜の飯を食う

思《おも》い立《た》ったが吉日《きちじつ》

出典：『唐船(とうせん)』

何かをやろうと思ったら、すぐに実行したほうがよいということ。暦の上で縁起がよいかどうかではなく、思い立った日を吉日としてすぐにやるのがよいという教え。

用例 ●**思い立ったが吉日**といいます。あなたのアイデアを早速実行に移しましょう。

類語 ●善は急げ／うまい物は宵に食え／好機逸すべからず

群《ぐん》雄《ゆう》割《かっ》拠《きょ》

出典：『後漢書(ごかんじょ)』

多くの英雄が競い合って対立すること。転じて、ある分野で多くの実力者が互いに勢力をふるい、競争すること。またはそのような状態のことをいう。

用例 ●競合他社の参入が相次いだために、業界はまさに**群雄割拠**の様相を呈しています。

鶏《けい》口《こう》となるも牛《ぎゅう》後《ご》となる勿《なか》れ

出典：『史記（しき）』

大きな組織の末端にいるより、小さな組織の長になるほうがよいということ。独立心の大切さを説いたもの。「鶏口牛後」と略すこともある。

用例 ● 若者よ、**鶏口となるも牛後となる勿れ**という精神を大切にしてください。

類語 ● 芋頭《いもがしら》でも頭は頭

芸《げい》は身《み》を助《たす》ける

出典：『西鶴置土産（さいかくおきみやげ）』

身についた技芸が一つでもあれば、万が一のとき生活の糧となったり、普段でも思いがけず役に立つ場合があるということ。

用例 ● 子ども時代に習ったそろばんがこんなときに役立つなんて、**芸は身を助ける**ですね。

反対 ● 芸が身を助けるほどの不仕合わせ／芸は身の仇《あだ》／粋《すい》が身を食う

怪《け》我《が》の功《こう》名《みょう》

出典：『鷹筑波集（たかつくばしゅう）』

失敗したことが、意外にもよい結果につながること。また、何気なく行ったことが偶然によい結果をもたらすこと。

用例 ● コンペには落選しましたが、別件で注文を受けるという**怪我の功名**を得ました。

類語 ● 過《あやま》ちの功名／怪我勝ち

※日常生活全般で使える。

好《こう》機《き》逸《いつ》すべからず

何事もせっかくつかんだチャンスは逃がさず、できるだけ生かすように努力しなさいということ。日常生活全般で励ます場合に使える。

用例 ● **好機逸すべからず**というように、反応のあったお客さまにはすぐ営業をかけましょう。

類語 ● 鉄は熱いうちに打て／奇《き》貨《か》居《お》くべし／思い立ったが吉日

故《こ》郷《きょう》へ錦《にしき》を飾《かざ》る

出典：『富士額男女繁山(ふじびたいつくばのしげやま)』

故郷を出て出世した人が、晴れがましい姿で故郷に帰ること。高価な美しい着物で着飾り帰郷することがもともとの意味だが、転じて、立身出世することをいう。

用例 ● この事業を成功させれば、**故郷へ錦を飾る**ことができます。

類語 ● 錦を衣《き》て郷《きょう》に還る

虎《こ》穴《けつ》に入《い》らずんば虎《こ》子《じ》を得《え》ず

出典：『後漢書(ごかんじょ)』

虎の住むほら穴に入らなければ虎の子が得られないように、何事も危険を冒さなければ、目的を達成したり、大きな成果を得たりできないということ。

用例 ● **虎穴に入らずんば虎子を得ず**といいます。新しいことに挑戦しようではありませんか。

類語 ● 枝先《えださき》に行かねば熟柿《じゅくし》は食えぬ

反対 ● 君子危うきに近寄らず

白《しら》羽《は》の矢《や》が立《た》つ

出典：『鬼一法眼(きいちほうげん)虎の巻』

大勢の中から犠牲者として選ばれること。転じて、多くの人から特別に選び出されること。よい意味にも、悪い意味にも用いられる。

用例 ● 今回のプロジェクトの責任者として、この分野に強いＡ君に**白羽の矢が立つ**ことになりました。

※学校など日常生活全般でも使える。

人《じん》事《じ》を尽《つ》くして天《てん》命《めい》を待《ま》つ

出典：『読史管見(どくしかんけん)』

できる限りの努力をして、あとは運を天の意思にゆだね、天命を待つのみという心境を表す。

用例 ● 全員が力を合わせて精いっぱいがんばったので、あとは**人事を尽くして天命を待つ**という心境です。

類語 ● 天は自ら助くる者を助く／我が事畢《お》わる

千《せん》客《きゃく》万《ばん》来《らい》

多くのお客が次から次へと、入れ替わり立ち替わりやってくること。商売が非常に繁盛しているようすや、興行などで大きな人気を得ることをいう。

用例 ● 新しい店は初日から**千客万来**、行列ができるほどの繁盛ぶりですね。

類語 ● 門前成市《もんぜんせいし》

反対 ● 閑古鳥《かんこどり》が鳴く／門前雀羅《もんぜんじゃくら》を張る

千《せん》載《ざい》一《いち》遇《ぐう》

出典：『文選』

千年に一度めぐり合えるか、合えないかのような機会。めったにない好機。人をほめたり、激励したりするときなどに、肯定的な意味で用いる。

用例 ●語学力を生かせる仕事を希望していた彼女にとって、海外赴任の話は**千載一遇**のチャンスです。

※日常生活全般で使える。

善《ぜん》は急《いそ》げ

出典：『御前義経記(ごぜんぎけいき)』

よいと思ったことはためらわずに、すぐ実行せよという教え。「善は急げ、悪は延べよ」ともいう。

用例 ●**善は急げ**とばかりに、企画が決定するやいなやプロジェクトチームを立ち上げました。

類語 ●思い立ったが吉日／うまい物は宵に食え

先《せん》鞭《べん》をつける

出典：『晋書(しんじょ)』

人より先に物事を始めること。ビジネスや学術研究、芸能などにおいて、ライバルの先を越して新しい領域を開拓することをいう。

用例 ●わが社はこの分野の研究に**先鞭をつける**企業に成長し、昨今は、世界の注目を集めるまでになっています。

類語 ●先んずれば人を制す／先手は万《まん》手《て》

大《たい》器《き》晩《ばん》成《せい》

出典：『老子』

大物はゆっくり時間をかけて大成するものだということ。大きな器はすぐに作れず、完成するまでに長い年月がかかることから。

用例 ● A 君は**大器晩成**型の人物ですから、将来どんな大物になるのか楽しみです。

類語 ● 大きい薬《や》缶《かん》は沸きが遅い

塵《ちり》も積《つ》もれば山《やま》となる

出典：『大智度論(だいちどろん)』

ごく小さく、取るに足りないことでも、積み重なれば山のように大きなものになることから、小事をおろそかにしてはいけないということ。

用例 ● 社員一人ひとりの小さな行動であっても、**塵も積もれば山となる**で、全社一丸となれば、大きな成果が期待できるものです。

類語 ● 百里の道も一歩から／大遣いより小遣い

七《なな》転《ころ》び八《や》起《お》き

出典：『霊験宮戸川(れいげんみやとがわ)』

何度失敗してもくじけることなく立ちなおること。また、人生が波乱に満ち、浮き沈みがあることをいう。人を励ますときなどに用いる。

用例 ● 失敗を気に病まず、**七転び八起き**の精神でがんばりましょう。

類語 ● 禍《か》福《ふく》は糾《あざな》える縄の如し

※日常生活全般で使える。

人《にん》間《げん》到《いた》る処《ところ》青《せい》山《ざん》有《あ》り

出典：『清狂吟稿（せいきょうぎんこう）』

人間は自分の骨を埋める場所くらいはどこにでもある。志を達成するため、狭い故郷にこだわらず、どこへ行っても大いに活躍できるということ。

用例 ● **人間到る処青山有り**と申します。転居されてからも、新天地でのご活躍を期待しています。

類語 ● 青山骨を埋《うず》むべし

乗《の》り掛《か》かった舟《ふね》

出典：『好色五人女（こうしょくごにんおんな）』

関わりを持ってしまったがために、手を引けなくなることのたとえ。乗った船が出港してしまえば目的地に着くまで降りられないことから。

用例 ● **乗り掛かった舟**ですし、あなたのプロジェクトを最後まで支援することに決めました。

類語 ● 騎虎《きこ》の勢い／毒を食らわば皿まで

不《ふ》撓《とう》不《ふ》屈《くつ》

出典：『漢書（かんじょ）』

心が強く堅固で、いかなる困難があってもひるまず、くじけないこと。多くは「不撓不屈の精神」の形で使われる。

用例 ● 学生時代、スポーツで培った**不撓不屈**の精神が、社会人になってからも彼の強みになっていると思います。

粉《ふん》骨《こつ》砕《さい》身《しん》

出典：『禅林類纂(ぜんりんるいさん)』

力のかぎり努力すること。わが身を惜しまず、全力を尽くすこと。また、大きな苦労をしながら働くようすをいう。

用例 ● 長年、憧れていた業界に身を置くことが決まったのだから、**粉骨砕身**、人一倍努力することが大切ですよ。

※人に対して良い評価をする場合にも使える。

ローマは一《いち》日《にち》にして成《な》らず

出典：英語のことわざ“Rome was not built in a day.”

大事業を成しとげるためには長期にわたる努力が必要であること。栄華を誇ったローマ帝国でさえ、築かれるまでには長い年月がかかったことから。

用例 ● **ローマは一日にして成らず**といいますから、長い目で事業を育てていく姿勢が必要です。

※学校で人を励ます場合にも使える。

スピーチが光る 英語のことわざ

Nothing ventured, nothing gained.

何の冒険もしなければ、何も得られない。

目的を達成するためには、多少の危険や犠牲は覚悟して、思い切って行動を起こすべきだという意味。職場での訓示などに用いることができる。日本のことわざの類語として、「虎穴に入らずんば虎子を得ず」(p.20) がある。

結婚

合《あい》縁《えん》奇《き》縁《えん》

出典：『唐人躍(とうじんおどり)』

人と人の気が合うのも、合わないのも、すべて目に見えない不思議な縁によるものだということ。夫婦や友人同士の関係をたとえていう。

用例 ●遠く離れたお二人が出会い、結婚する運びとなったのも、**合縁奇縁**のなせるわざと申せましょう。

類語 ●縁は異なもの味なもの

阿《あ》吽《うん》の息《いき》

協力して物事をするときの、お互いの微妙な気持ちや調子のこと。またそれがぴったりと合うこと。夫婦だけでなく仕事などの仲間にも用いる。「阿吽の呼吸」ともいう。

用例 ●健やかなるときも病めるときも、お二人の**阿吽の息**で温かい家庭を築いてくださいね。／同僚との**阿吽の息**で、難しい仕事も成しとげることができました。

東《あずま》男《おとこ》に京《きょう》女《おんな》

出典：『雲鼓評万句合(うんこひょうまんくあわせ)』

男はきっぷのいい江戸っ子がよく、女は美しく情のある京都の女性がよいということ。男女の取り合わせがよいことのたとえ。

用例 ●お二人は、**東男に京女**のようなベストカップルだと社内でも評判です。

類語 ●越前男に加賀女／南部男に津軽女／京男に伊勢女

以《い》心《しん》伝《でん》心《しん》

出典：『景徳伝灯録(けいとくでんとうろく)』

何もいわなくても、心と心で互いの考えや気持ちが通じ合うこと。もともとは仏教用語で、言葉では表現できない真理を心から心へ伝えるという意味。

用例 ●長年夫婦として連れ添っていれば、**以心伝心**でお互いの気持ちがわかるものです。

類語 ●心を以って心に伝う／拈《ねん》華《げ》微笑《みしょう》

磯《いそ》の鮑《あわび》の片《かた》思《おも》い

出典：『万葉集』

当人が恋しいと思っても、相手は何とも思っていないことのたとえ。鮑は二枚貝の片側のように見えるため、「片思い」と「片貝」をかけてこのように表現している。

用例 ●最初は**磯の鮑の片思い**でしたが、A君の粘り強いアタックが通じ、Bさんとの交際が始まったそうです。

反対 ●相思相愛

一《いち》期《ご》一《いち》会《え》

出典：『山上宗二記(やまのうえのそうじき)』

人と人との出会いの大切さをいう。「同じ人と何度も交流する場合も、その日の出会いは一生に一度だけのものと考え、大切にせよ」という茶道の心得から。

用例 ●**一期一会**の気持ちをこめて、このご縁を大切にしてほしいと思います。

※人間関係全般で、いましめる場合でも使える。

一《いち》日《じつ》千《せん》秋《しゅう》(の思《おも》い)

出典：『詩経(しきょう)』を出典とする「一日三秋」が変化したもの

一日が千年にも感じられるほど、人や物事を切実に待ち焦がれること。思慕の情や期待する気持ちが大変強い場合に用いる。

用例 ● 新郎新婦のご両親も、**一日千秋の思い**で今日の婚礼の日を待っておられたことでしょう。

類語 ● 一刻千秋《いっこくせんしゅう》

鴛《えん》鴦《おう》の契《ちぎ》り

出典：『捜神記(そうしんき)』

仲のよい夫婦のこと。また、いつまでも仲むつまじい夫婦でいるという約束。「鴛鴦」とはおしどりのことで、つがいの雌雄がいつも一緒で離れないことから。

用例 ● **鴛鴦の契り**を結ばれたこと、お祝い申し上げます。

類語 ● 琴瑟《きんしつ》相《あい》和《わ》す／連理の契り／連理の枝／比翼《ひよく》連理《れんり》の契り／鴛鴦の睦び

縁《えん》は異《い》なもの

出典：『丹波与作待夜の小室節(たんばよさくまつよのこむろぶし)』

男女の縁は、どこでどう結びつくかわからない不思議なものであり、人の力を超えた目に見えない力が働いているということ。

用例 ● **縁は異なもの**と申しますが、新郎新婦の出会いも、不思議な偶然がそのきっかけであったのです。

類語 ● 合縁奇縁

偕《かい》老《ろう》同《どう》穴《けつ》の契《ちぎ》り

出典：『詩経(しきょう)』

夫婦の契りが固く、仲むつまじく幸福に暮らすこと。仲のよい夫婦は共に老い、死んだ後は同じ墓穴に葬られることから。幸福のたとえ。

用例 ● これからは新郎新婦が力を合わせて、**偕老同穴の契り**というように、末永くお幸せに暮らされることをお祈りしています。

類語 ● 赤い信女

華《か》燭《しょく》の典《てん》

「華燭」は華やかなともしび、「典」は儀礼のことで、結婚式を指す。結婚式で、新郎新婦の親族や来賓者、司会者が使うことが多い。

用例 ● 本日すばらしい**華燭の典**をあげられますことを、心からお祝い申し上げます。／ここに**華燭の典**をあげることができましたことを、新郎新婦に代わり、心からお礼申し上げます。

月《げっ》下《か》氷《ひょう》人《じん》

出典：続幽怪録(ぞくゆうかいろく)

男女の仲をとりもつ人。仲人、媒酌人。中国の故事で「月下老人」と「氷人」はともに仲人を意味するが、この二つを合成した言葉。

用例 ● 私は新郎の上司のＡでございます。このたび、**月下氷人**の大役をお引き受けすることになりました。

相《そう》思《し》相《そう》愛《あい》

男女が互いに愛し合い、その仲が大変むつまじいこと。また、企業間など深い結びつきのある状態をいうこともある。

用例 ● A君とBさんは**相思相愛**のカップルです。／（ビジネス）A社とB社は**相思相愛**の仲ですから、両社とも業務提携に乗り気でした。

反対 ● 磯の鮑の片思い

竹《ちく》馬《ば》の友《とも》

出典：『晋書(しんじょ)』

「小さいころ竹馬に乗って一緒に遊んだ友人」という意味で、幼少のころからの親しい友達、幼なじみのこと。

用例 ● **竹馬の友**であった彼が結婚すると聞き、お祝いにかけつけた次第です。

類語 ● 騎《き》竹《ちく》の交わり

亭《てい》主《しゅ》関《かん》白《ぱく》の位《くらい》

出典：『女夫草(めおとぐさ)』

かつて天皇を補佐し政治の重職にあった関白のように、家庭で夫が絶対的権力を握っていること。また、そのような家庭や夫婦仲のこと。

用例 ● きめこまやかな優しさを持つA君ですが、意外にも、家庭では**亭主関白の位**だそうです。

反対 ● 嬶天下《かかあでんか》／女房は山の神百石の位／嬶左衛門

内《ない》助《じょ》の功《こう》

内部にあって援助する功績のこと。とくに、夫が家の外で活躍できるように妻が家庭をしっかりと守り、陰ながら夫を助けることをいう。

用例 ● Aさんは結婚後は専業主婦になって**内助の功**に尽くし、家庭を盛りたてるつもりだとうかがいました。

似《に》たもの夫《ふう》婦《ふ》

夫婦になる男女の性格や好みが似ていること。また、一緒に暮らすうち、夫婦が互いに似てくること。そのような夫婦の取り合わせをいうこともある。

用例 ● お二人はどちらも温泉好きなので**似たもの夫婦**ですね。

類語 ● 割れ鍋に綴じ蓋

※よい意味でも悪い意味でも使える。

女《にょう》房《ぼう》は山《やま》の神《かみ》百《ひゃっ》石《こく》の位《くらい》

妻の座は家庭を維持していくうえで、大切なものであるということ。

用例 ● **女房は山の神百石の位**といいます。どうか奥さまを大切に、幸せな家庭を築いてください。

反対 ● 亭主関白の位

良《りょう》妻《さい》賢《けん》母《ぼ》

夫に対しては家を守るよい妻であり、子どもに対してはしつけのゆきとどく賢い母であること。またそのような人。かつて女子教育のスローガンであった言葉。

用例●きめ細やかに気配りができる彼女は、きっと**良妻賢母**になることでしょう。／長男の嫁になる女性は、**良妻賢母**であることが第一条件です。

連《れん》理《り》の契《ちぎ》り

出典：『荘子(そうじ)』

夫婦の契りが固く、深い愛情で結ばれていること。「連理」は根や幹は別でも枝がつながっている木のことで、固く結ばれた夫婦の絆を表す。

用例●**連理の契り**を誓った新郎新婦を祝し、乾杯しましょう。

類語●比《ひ》翼《よく》連《れん》理《り》の契り／連理の枝／琴《きん》瑟《しつ》相《あい》和《わ》す／鴛《えん》鴦《おう》の契り／比翼の鳥

心に残る 名言・金言

結婚前には両目を大きく見開き、
結婚後には片目を閉じよ。

フラー［1608～61 イギリスの聖職者］

結婚相手はよく見定めて決めるべきだが、結婚後は、相手の欠点を見過ごす寛容さが大切だということ。結婚披露宴で、既婚者が新郎新婦に祝辞を述べるときに用いるとよい。

出産

子《こ》に過《す》ぎたる宝《たから》なし

出典：『平家物語』

子どもは人の生涯で最高の宝である。どんなに豪華な財宝も、子どもの価値には及ばないことのたとえ。

用例 ● お子さんの寝顔を見るにつけ、**子に過ぎたる宝なし**を実感されていることでしょう。

類語 ● 子に勝る宝なし／千の倉より子は宝／子宝千両

掌《しょう》中《ちゅう》の珠《たま》

出典：『短歌行(たんかこう)』

一番大切にしているもののたとえ。最愛の妻や目に入れても痛くないほどかわいい子どもなど、近親者をたとえていうことが多い。

用例 ● 長年待ち望んでおられた女の子が誕生されたとのこと、まるで**掌中の珠**のように大切にされていることでしょうね。

鳶《とび》が鷹《たか》を生《う》む

出典：『かす市頓作』

平凡な親から、優れた能力をもつ子どもが生まれること。また、子どもの容姿が親よりも美しいこと。ばかにした意味を含むので、他人に使うと失礼になることもある。

用例 ● 運動が苦手の私の息子がスポーツ選手になるとは。**鳶が鷹を生む**とはこのことですね。

類語 ● 雉子《きじ》が鷹を生んだよう

反対 ● 瓜の蔓に茄子はならぬ／蛙の子は蛙

泣《な》く子《こ》は育《そだ》つ

子どもが大きな声で泣くのは元気のある証拠で、よく泣く子ほど健康で丈夫に育つということ。

用例 ● **泣く子は育つ**といいますから、お子さんがよく泣くからといって心配することはないと思いますよ。

類語 ● 赤子は泣き泣き育つ／泣く子は利口

寝《ね》る子《こ》は育《そだ》つ

子どもがよく寝るのは健康な証拠で、そういう子はすくすくと健康に育ち、発育がよいということ。

用例 ● 息子さんの健やかな寝顔を拝見し、**寝る子は育つ**のことわざ通り、きっと元気にお育ちになることと思いました。

類語 ● 寝る子は息災《そくさい》

這《は》えば立《た》て立《た》てば歩《あゆ》めの親《おや》心《こころ》

出典：『類柑子(るいこうじ)』

子どもの健やかな成長を切実に願う親心を表す。肉親のほか、師弟関係や職場の上司と部下との関係において使うこともある。

用例 ● **這えば立て立てば歩めの親心**というように、子育ては楽しいものです。／(ビジネス)**這えば立て立てば歩めの親心**の心境で上司は部下をじっくりと育てなければなりません。

誕生日

耳《じ》順《じゅん》

出典：『論語(ろんご)』

60歳のこと。他人のいうことが素直に理解できるようになる年齢で、孔子の「六十にして耳順(みみしたが)う」からきている。

用例 ● **耳順**の歳を迎えられて、なお、新しい会社で人生の再出発をされるとのこと、誠におめでとうございます。

鶴《つる》は千《せん》年《ねん》亀《かめ》は万《まん》年《ねん》

出典：『雪女五枚羽子板(ゆきおんなごまいはごいた)』

長寿でめでたいことのたとえに用いられる言葉。古来、中国では不老長寿の仙人になるための神仙術において、鶴と亀とを神秘化して論じたことから。

用例 ● **鶴は千年亀は万年**にあやかって、いつまでもお元気に過ごされますようお祈りしております。

昔《むかし》取《と》った杵《きね》柄《づか》

出典：『縁結娯色の糸(えんむすびごしきのいと)』

若いときに身に付けた技能は、年をとっても衰えず、自信をもって発揮できるということ。また、若いころ習得した技能や腕前。経験の豊富さをほめるときにも使える。

用例 ● しばらく絵筆を置いておられたようですが、さすが**昔取った杵柄**ですね。80歳になられても、お元気でご活躍ください。

類語 ● 昔とった相撲

一《いち》年《ねん》の計《けい》は元《がん》日《じつ》にあり

一年間の計画なら年の始めの元旦に立てるべきということ。また、何事も計画を早めにしっかり立てるのがよいということ。

用例●**一年の計は元日にあり**といいますから、初日の出を見ながら、今年の目標について考えましょう。

類語●一生の計は少壮《しょうそう》の時にあり

一《いち》富《ふ》士《じ》二《に》鷹《たか》三《さん》茄子《なすび》

出典：『譬喩尽(たとえづくし)』

初夢に見ると縁起がよいとされているものの順序。「富士」は不老長寿、「鷹」は出世栄達、「茄子」は子孫繁栄を意味するという説もある。

用例●元日の晩は、**一富士二鷹三茄子**の初夢を見ますようにと願いながら、床に就きました。

心《しん》機《き》一《いっ》転《てん》

あることをきっかけとして、気持ちをすっかり変えて出なおすこと。通常、今の状態よりよいほうへ、明るいほうへ変えようとするときに使う。

用例●年も明けたことですし、**心機一転**、がんばりましょう。／転居を機に、**心機一転**、新天地での暮らしを大いに楽しむつもりです。

命《いのち》あっての物《もの》種《だね》

出典：『網模様灯篭菊桐(あみもようとうろうのきくきり)』

何事も生きていればこそできる。死んでしまったら何もできないのだから、命にかかわるような危険は避け、命を大切にせよということ。

用例●**命あっての物種**ですから、無理をしないでください。

類語●死んで花実が咲くものか／命は法の宝

反対●命より名を惜しむ

命《いのち》に過《す》ぎたる宝《たから》なし

生きていく上で命ほど大切なものはない。命は大切にしなければならないということ。

用例●**命に過ぎたる宝なし**ですから、退院後も無茶をしないよう、ご自愛ください。

類語●命にまさる宝なし／命に換うる財宝なし／命が専《せん》

命《いのち》の洗《せん》濯《たく》

出典：『傾城色三味線(けいせいいろじゃみせん)』

洗濯で汚れを落とすように、人が日ごろの疲れやストレス、緊張から解放され、のびのびと気晴らしや息ぬきをすること。

用例●退院後は、のんびり山奥の温泉でしばらく**命の洗濯**をしてください。

類語●命の土用《どよう》干し

風《か》邪《ぜ》は百《ひゃく》病《びょう》の本《もと》

風邪をひくと、さまざまな病気を併発して重い病気になることもあるということ。風邪を軽視しないよう、人を諭すときにいう言葉。

用例 ●**風邪は百病の本**ですから、こじらせないように気をつけて、早く治してください。

類語 ●風邪は万病の因《もと》／風邪は百病の長《ちょう》

薬《くすり》より養《よう》生《じょう》

出典：『譬喩尽(たとえづくし)』

病気になって薬を飲むより、日ごろから健康に気を配って病気にならないほうがよいということ。また、病人は薬に頼るより養生に努めるべきであるということ。

用例 ●薬ばかりに頼っていては、健康にはなれません。**薬より養生**が大切です。

類語 ●一に養生二に介抱／薬から病を起こす／薬は身の毒

腹《はら》八《はち》分《ぶ》に医《い》者《しゃ》いらず

満腹になるまで食事をせずに、腹八分め程度に控えていれば、医者にかかるような病気にならず、健康に暮らせるということ。

用例 ●**腹八分に医者いらず**と心得て、くれぐれも食べすぎには気をつけてください。

類語 ●腹八分に病なし／腹も身の内／大食短命

身《み》に勝《まさ》る宝《たから》無《な》し

自分の体よりも大切なものはない。金や財産よりも健康が第一であり、何かに執着したとしてもわが身の大切さには及ばないということ。

用例 ● 急なご病気の報に接し、大変驚いておりますが、やはり**身に勝る宝無し**だと思います。どうかゆっくりご養生ください。

類語 ● 身ほど可愛いものはない

病《やまい》は気《き》から

出典：『小春穏沖津白浪(こはるびよりおきつしらなみ)』

気の持ちかた次第で病気がよくも悪くもなるということ。病気や体の不調で気がふさいでいる人に、気持ちの切り替えを促すときなどに用いる。

用例 ● **病は気から**といいますし、外出すれば気分が変わっていいかもしれませんよ。

類語 ● 病は気で勝つ／万《よろず》の病は心から

世《よ》を捨《す》つれども身《み》を捨《す》てず

世間とのかかわりを絶って隠棲（いんせい）したり、出家したりしても、命だけは捨てることができないということ。また、だれでも命は惜しむものであるということ。

用例 ● **世を捨つれども身を捨てず**と思って、健康を第一にお考えください。

沈《しず》む瀬《せ》あれば浮《う》かぶ瀬《せ》もあり

人の一生には、よいときもあれば悪いときもある。人生は浮き沈みの繰り返しであるから、不幸に遭っても絶望するなということ。人を励ますときなどに用いる。

用例 ● **沈む瀬あれば浮かぶ瀬もあり**といいます。不運にめげず、奮起してください。

類語 ● 禍福《かふく》は糾《あざな》える縄の如し／塞翁《さいおう》が馬

捨《す》てる神《かみ》あれば拾《ひろ》う神《かみ》あり

出典：『浮世風呂(うきよぶろ)』

世の中には自分を見捨てる人もいる一方、助けてくれる人もいる。非難されたり、見離されたりといったことばかりではないから、くよくよするなという励ましに用いる。

用例 ● **捨てる神あれば拾う神あり**で、必ず再就職先は見つかるでしょう。

類語 ● 渡る世間に鬼はない

反対 ● 人を見たら泥棒と思え

スピーチが光る 英語のことわざ

Every cloud has a silver lining.

どんな不幸にもよい面がある。

直訳は「どんな雲にも銀色の裏地がついている」。暗雲に見える雲も、その上は太陽の光を受けて銀色に輝いていることから、どんな災難や不幸にも明るい面があることを表す。不幸からの立ち直りを促すときに使いたい。

第2章

いましめる

- ビジネス／商売
- 慎重／油断
- 努力／忍耐
- 人間関係
- 学問／学校
- 家族／家庭

ビジネス／商売

新《あたら》しき酒《さけ》は新《あたら》しき革《かわ》袋《ぶくろ》に盛《も》れ

出典：『新約聖書』

新しい内容や考えを表現するには、それにふさわしい新しい形式や方法をとるべきであるということ。

用例 ●**新しき酒は新しき革袋に盛れ**といいますから、この新しい事業は、新設の部署にあたらせるべきです。

後《あと》の祭《まつり》

出典：『江戸育御祭佐七（えどそだちおまつりさしち）』

時機に遅れて意味がなくなったり、手遅れになったりすること。祭りの終わった翌日に来てもしかたがないことから。

用例 ●**後の祭**にならないよう、発表前に念入りなリハーサルを行うべきです。

類語 ●六日の菖蒲《あやめ》／証文の出し遅れ

虻《あぶ》蜂《はち》取《と》らず

出典：『花の志満台（しまだい）』

二つのものを一度に得ようとして、どちらも失敗すること。欲ばりすぎて失敗しないようにいましめたり、注意を促したりするときに用いる。

用例 ●あまり欲張りすぎると結局は**虻蜂取らず**になるから気をつけなさい。

類語 ●二兎を追う者は一兎をも得ず

反対 ●一石二鳥／一挙両得

油《あぶら》を売《う》る

出典：『御前義経記（ごぜんぎけいき）』

仕事中に無駄話をしたり、好き勝手なことをしたりして怠けること。昔、油売りが油を容器に移すのに時間がかかり、その間、世間話をしていたことから。

用例 ●空き時間に**油を売る**ことほど無駄なことはありません。／昼食を終えたら、喫茶店で**油を売る**ことなく、すぐに帰社してください。

一《いっ》将《しょう》功《こう》成《な》りて万《ばん》骨《こつ》枯《か》る

出典：『己亥歳二首（きがいのとしにしゅ）』

一人の将軍が大きな手柄を立てる陰には、多くの兵卒の犠牲があるということ。上に立つ者だけが功名をあげ、部下の努力は報われないことを、憤りをこめて表す。

用例 ●職場とは、何人もの部下が上司の出世の犠牲になるような**一将功成りて万骨枯る**の場にするべきではありません。

下《か》意《い》上《じょう》達《たつ》

下位の者の思いや考えが上位の者に伝わること。また、民衆の声が国を治める地位にある人々に滞りなく届くこと。

用例 ●部下の声が上の者にとどくような**下意上達**の社風をめざすべきです。

類語 ●上意《じょうい》下《か》達《たつ》

隗《かい》より始《はじ》めよ

出典：『戦国策(せんごくさく)』

大きな事業を始めるときには、手近なところから着手しなさいということ。転じて、何事もいい出した人から実行するべきだということ。

用例 ●いみじくも**隗より始めよ**といわれるように、提案者の私自身が進んで実行してまいります。

類語 ●足下《あしもと》から始める

蟹《かに》は甲羅《こうら》に似《に》せて穴《あな》を掘《ほ》る

カニが甲羅の大きさに合った穴を掘ってすむのと同様、人は自分の力量に見合った考え方や生き方をするものだということ。何事も分相応にという教え。

用例 ●**蟹は甲羅に似せて穴を掘る**というように、自分の実力に見合った職業に就くべきです。

類語 ●根性に似せて家を作る

※日常生活全般でいましめる場合に使える。

侃《かん》侃《かん》諤《がく》諤《がく》

出典：『史記(しき)』

自分の思うところを遠慮することなく主張すること。また、それぞれが自らの信念のもと、大いに議論を戦わせるようすを表す。

用例 ●スタッフどうしで**侃侃諤諤**の議論を戦わせることが、問題を解決する突破口になるのではないでしょうか。

※学校など日常生活全般でも使える。

郷《ごう》に入《い》りては郷《ごう》に従《したが》う

出典：『童子教(どうじきょう)』

その土地ごとに風俗や習慣は異なるもので、新しい土地に住むようになったら、そこの風俗や習慣に素直に従うのがよいという教え。

用例 ● **郷に入りては郷に従う**といいますし、新しく参入する業種ではその業界のルールにしたがうのが成功への近道ではないでしょうか。

類語 ● 人の踊るときには踊れ

紺《こう》屋《や》の白《しろ》袴《ばかま》

出典：『骨董集(こっとうしゅう)』

他人のために忙しく、自分のためにその専門技術を用いる時間がないこと。また、いつでもできると思っているうちに手付かずで終わってしまうこと。

用例 ● 警察官であるあなたがスリに合うなんて、**紺屋の白袴**だといわれてしまいますよ。

類語 ● 医者の不養生《ふようじょう》／大工の掘っ立て

転《ころ》がる石《いし》には苔《こけ》が生《は》えぬ

出典：英語のことわざ“A rolling stone gathers no moss.”

よく働く人はいつも生き生きとしていて、老化現象が起きないということ。また、仕事を転々とする人は特技が身に付かず、成功しないという意もある。

用例 ● 若い人は、生涯現役がモットーのA社の社長を見習うべきだ。あの人は**転がる石には苔が生えぬ**を地でいく人です。

類語 ● 転石苔を生ぜず／使っている鍬《くわ》は光る

先《さき》んずれば則《すなわ》ち人《ひと》を制《せい》す

出典：『史記(しき)』

相手より一歩先に手を打てば、優位な立場で物事を進めたり、勝負に勝つことができるということ。思い切って先手を打つように促すときなどに用いる。

用例 ●**先んずれば則ち人を制す**です。わが社が先駆けとなってこの事業を進めるべきです。

類語 ●先手は万手《まんて》／先鞭《せんべん》をつける

反対 ●急いては事を仕損ずる／急がば回れ

三《さん》顧《こ》の礼《れい》

出典：『前出師表(ぜんすいしのひょう)』

「三顧」とは三度訪ねる意味で、人に仕事を頼むにあたって何度も足を運び、丁寧に依頼することのたとえ。目上の人がある人物を信任して迎える場合に用いる。

用例 ●よい仕事をしてくれる人材なら、若い人でも**三顧の礼**をつくして迎えるべきです。

舌《した》は禍《わざわい》の根《ね》

出典：『世話尽(せわづくし)』

身に振りかかる災難は、言葉が原因であることが多いので、ものをいうときには慎重にという教え。「口は禍の門」と対で用いることもある。

用例 ●**舌は禍の根**ともいいます。ライバル企業に対して根も葉もない噂をさも真実かのように語るのはやめましょう。

類語 ●口は禍の門／三寸の舌に五尺の身を滅《ほろ》ぼす

小《しょう》異《い》を捨《す》てて大《だい》同《どう》につく

出典：『雪中梅(せっちゅうばい)』

多少の意見の相違にはこだわらないで、基本的なところが大まかに一致していればよいと考え、大局的な見地から協力することをいう。

用例 ● プロジェクトを実現させたいのであれば、**小異を捨てて大同につく**決断をして、A社と提携するべきです。

類語 ● 大同小異

将《しょう》を射《い》んとせば先《ま》ず馬《うま》を射《い》よ

出典：『前出塞九首(ぜんしゅつさいきゅうしゅ)』

敵将を討とうとするならば、まずその馬を倒せということ。転じて、目的に直接ぶつかるより、その周囲から攻めていくほうが効果的だという意。

用例 ● 契約を取るなら、まずあの会社の部長に気に入られなさい。**将を射んとせば先ず馬を射よ**です。

類語 ● 人を射んとせば先ず馬を射よ

船《せん》頭《どう》多《おお》くして船《ふね》山《やま》に上《のぼ》る

出典：『毛吹草(けふきぐさ)』

指導する人が多すぎて、物事がはかどらなかったり、統一がとれず、とんでもない方向へ進んでしまうことのたとえ。

用例 ● **船頭多くして船山に上る**といいます。わが社は取締役会をスリム化するべきです。

類語 ● 役人多くして事絶えず

損《そん》して得《とく》取《と》れ

商売は目先の利益ばかりを追いかけていては大きな利益を得ることができない。小さな損をしても、将来の大きな利益を得るほうがよいという教え。

用例●**損して得取れ**と思えば、これくらいの投資は当然だと思います。

類語●損をして利を見よ／損せぬ人に儲けなし

旅《たび》は道《みち》連《づ》れ世《よ》は情《なさ》け

出典：『忠臣蔵後日建前(ちゅうしんぐらごにちのたてまえ)』

旅は同行者がいれば心強く、楽しいことが多いものだということ。同様に、世の中を渡るのも助け合いが大切だという意。「旅は道連れ」とだけいうこともある。

用例●**旅は道連れ世は情け**といいます。これからも君の会社が困っていることがあれば力を貸しましょう。

類語●旅は情け人は心

忠《ちゅう》臣《しん》は二《に》君《くん》に仕《つか》えず

出典：『史記(しき)』

忠義な家来は主君が死んだ場合にも、別の主君に仕えることはしないということ。「仕えず」は「事えず」と書くこともある。

用例●**忠臣は二君に仕えず**というのに、ライバル会社に移るなんて、君は都合がよすぎるよ。

類語●貞女両夫《ていじょりょうふ》に見《まみ》えず／賢人は二君に事えず

東《とう》奔《ほん》西《せい》走《そう》

出典：『堀川狂歌集(ほりかわきょうかしゅう)』

目的を達成するため、東へ、西へと走り回って、忙しく働くこと。慌しくかけずり回り、力をつくすよううす。

用例 ●営業部隊は新商品の売り込みに、**東奔西走**すべきです。

類語 ●南船北馬《なんせんほくば》

泣《な》いて馬《ば》謖《しょく》を斬《き》る

出典：『十八史略(じゅうはちしりゃく)』

規範や秩序を厳正に守るために、私情に流されることなく、処罰を行うこと。諸葛孔明（しょかつこうめい）が軍律を守るため、部下を処刑した故事から。

用例 ●**泣いて馬謖を斬る**ようなことはしたくないので、社の規律は絶対に乱さないようにしなさい。

類語 ●涙を揮《ふる》って馬謖を斬る

必《ひつ》要《よう》は発《はつ》明《めい》の母《はは》

出典：英語のことわざ “Necessity is the mother of invention.”

不自由や不便を感じて必要に迫られると、いろいろな工夫がなされ、発明が生まれるということ。必要が発明を生み出す元であることを「母」にたとえた言葉。

用例 ●人々が抱くちょっとした不満が新商品の開発につながることもあります。まさに**必要は発明の母**なのです。

人《ひと》は見《み》かけによらぬもの

出典：『加賀美山再岩藤(かがみやまごにちのいわふじ)』

外見や容姿でその人物を判断してはいけないという、いましめ。ビジネスだけでなく、日常生活全般で使える。

用例 ● **人は見かけによらぬもの**です。実際に話してみてから、相手の評価をするべきです。

類語 ● 馬には乗ってみよ、人には添うてみよ／馬には乗って鞍味を見よ

人《ひと》を呪《のろ》わば穴《あな》二《ふた》つ

出典：『若みどり』

人をのろい殺せば、自分もその報いを受けて死に、墓穴が二つ必要になる。他人を不幸にすれば、その報いで自らも不幸になるということのたとえ。

用例 ● **人を呪わば穴二つ**です。そういう態度は業界でのあなたの評判を落としかねませんよ。

類語 ● 人を呪えば身を呪う

柳《やなぎ》の下《した》にいつも泥鰌《どじょう》はいない

たまたま幸運なことがあったからといって、同じ方法で再び幸運を得ようとしても、いつもうまくいくものではないということ。

用例 ● 次もうまく受注できるとは限りません。**柳の下にいつも泥鰌はいない**ものですよ。

類語 ● 株を守りて兎《うさぎ》を待つ

反対 ● 二度あることは三度ある

慎重／油断

浅《あさ》い川《かわ》も深《ふか》く渡《わた》れ

出典：『世話尽(せわづくし)』

ささいなことでも用心が大切であるということ。安全そうに見える浅い川でも危険が潜む可能性はあり、深い川と同様に注意すべきであることから。

用例 ● 交渉ごとは**浅い川も深く渡れ**です。うまくことが運んでいるように思えるときにも、詰めを怠ってはなりません。

類語 ● 石橋を叩いて渡る／念には念を入れよ

慌《あわ》てる乞《こ》食《じき》は貰《もら》いが少《すく》ない

何事も急ぎすぎて慌てると、うまくいかないということ。慌てている人にユーモアをこめつつ注意するときに用いる。ビジネスなどで使える。

用例 ● この仕事を成功させたいなら、あせらずに。**慌てる乞食は貰いが少ない**ですよ。

類語 ● 急いては事を仕損ずる／急がば回れ

反対 ● 先んずれば人を制す／先手は万《まん》手《て》

石《いし》橋《ばし》を叩《たた》いて渡《わた》る

頑丈な石橋をたたいて安全を確かめるように、用心に用心を重ね慎重に行うこと。慎重すぎて決断が遅い人への皮肉を込めて用いる場合もある。

用例 ● **石橋を叩いて渡る**ことが大切です。リスクのある提案は却下しましょう。

類語 ● 念には念を入れよ／浅い川も深く渡れ

反対 ● 危ない橋を渡る

急《いそ》がば回《まわ》れ

出典：『醒睡笑(せいすいしょう)』

時間や手間がかかるようでも、安全で着実な手段を取ったほうが、結局は早いということ。急ぐ人に思慮を促すときなどに用いる。

用例 ● **急がば回れ**と考え、基本に戻ることを決めました。

類語 ● 急いては事を仕損ずる

反対 ● 先んずれば人を制す／先手は万《まん》手《て》

言《い》わぬが花《はな》

言葉にしてはっきり言うより、黙っているほうが趣や値打ちがあるということ。また、余計なことは言わないほうが、差し障りがなくてよいということ。

用例 ● 出席者が**言わぬが花**を決めこんだため、議論になりませんでした。

類語 ● 言わぬは言うに勝る

反対 ● 言わぬことは聞こえぬ

殷《いん》鑑《かん》遠《とお》からず

出典：『詩経(しきょう)』

失敗の例は手近なところにあるということ。中国の殷(いん)王朝がいましめとすべきことは、直前に滅亡した夏(か)王朝を見ればわかるという事例から。

用例 ● **殷鑑遠からず**と、前任者の失敗をいましめとして油断しないでください。

類語 ● 前鑑《ぜんかん》遠からず

勝《か》って兜《かぶと》の緒《お》を締《し》めよ

出典：『三河物語(みかわものがたり)』

戦いに勝っても油断せず、気を引き締めなさいということ。勝者を励ましたり、戦勝ムードを引き締めて次の戦いへの執念を鼓舞したりするときに用いる。

用例 ●試合に1勝しても、奢《おご》らず、いつも通りの練習を続けることです。**勝って兜の緒を締めよ**です。

類語 ●敵に勝っていよいよ手綱《たづな》を締める／油断大敵

河《かっ》童《ぱ》の川《かわ》流《なが》れ

達人でもときには失敗することがあるということ。人を河童にたとえるため、目上の人に対して使うのは避ける。

用例 ●**河童の川流れ**という言葉もあるように、やり慣れたことでも、気をぬかないでください。

類語 ●上手《じょうず》の手から水が漏《も》る／弘法にも筆の誤り／猿も木から落ちる

瓜《か》田《でん》に履《くつ》を納《い》れず

出典：『古楽府(こがふ)』

人に疑われるようなことはするなということ。瓜畑（うりばたけ）で靴を履きなおそうとかがめば泥棒かと疑われるので、靴が脱げても履きなおさないようにすることから。

用例 ●**瓜田に履を納れず**の教えを守り、不正と疑われるような挙動は避けましょう。

類語 ●李下《りか》に冠を正さず

画《が》竜《りょう》点《てん》睛《せい》

出典：『水衡記(すいこうき)』

最も大切なところに手を加えたり、最終的な仕上げを行ったりして物事を完成させること。肝心な点を忘れる意の「画竜点睛を欠く」の形で使うことが多い。

用例 ●彼が最後につけ加えたポイントはまさに**画竜点睛**ともいうべきことです。皆さんもこのことを忘れないように。

反対 ●画竜点睛を欠く／仏作って魂入れず

口《くち》は禍《わざわい》の門《かど》

出典：『十訓抄(じっきんしょう)』

うっかり口にしたことが元で、あとで災難を招くこともあるので、ものをいうときには慎重にという教え。「舌は禍の根」と対で用いることもある。

用例 ●**口は禍の門**ともいいます。あなたの言う根も葉もない噂がもとでトラブルになってもしりませんよ。

類語 ●舌は禍の根／三寸の舌に五尺の身を滅《ほろ》ぼす

君《くん》子《し》危《あや》うきに近《ちか》寄《よ》らず

出典：『孟子(もうし)』

立派な人は常に身を慎み、身に過ちがないように危険を冒さず、災いを避けるということ。

用例 ●**君子危うきに近寄らず**で、うまみの多過ぎるもうけ話に耳をかすべきではありません。

類語 ●危ない事は怪我のうち

反対 ●虎穴《こけつ》に入らずんば虎子《こじ》を得ず

後《こう》悔《かい》先《さき》に立《た》たず

出典：『沙石集(しゃせきしゅう)』

済んでしまったことをあとで悔やんでみても、どうにもならないということ。後悔がないよう事前に十分に注意しなさいと、いましめるときに用いる。

用例 ●**後悔先に立たず**ですから、準備は綿密に行ってください。

類語 ●後悔と槍《やり》持ちは先に立たず／下種《げす》の後知恵《あとぢえ》

※日常生活全般でいましめる場合に使える。

弘《こう》法《ぼう》にも筆《ふで》の誤《あやま》り

出典：『笑註烈子(しょうちゅうれっし)』

書の名人弘法大師にも書き損じがあるように、名人といわれるほどの人も、ときには失敗するというたとえ。また、誰にでも失敗はあるので油断するなという教え。

用例 ●**弘法にも筆の誤り**といいますから、手慣れた仕事でも気の緩みは禁物です。

類語 ●上手の手から水が漏る／河童の川流れ／猿も木から落ちる

転《ころ》ばぬ先《さき》の杖《つえ》

出典：『伊賀越道中双六(いがごえどうちゅうすごろく)』

つまずいて転ばないように杖を用意するのと同様に、何事も失敗しないように、念には念を入れて準備することが大切だということ。

用例 ●ボートに乗るときは、必ず救命衣をつけましょう。**転ばぬ先の杖**として大切ですから。

類語 ●倒れぬ先の杖／濡れぬ先の傘／石橋を叩いて渡る／後悔先に立たず

猿《さる》も木《き》から落《お》ちる

出典：『鷹筑波(たかつくば)』

その道の達人も失敗することがあるということ。猿にたとえるのは相手をからかったり、見下したりするニュアンスもあるので、目上の人に対しては用いない。

用例 ●いくら経験豊富だといっても、**猿も木から落ちる**といいます。くれぐれも慎重に。

類語 ●河童の川流れ／上手の手から水が漏る／弘法にも筆の誤り

舌《した》三《さん》寸《ずん》に胸《むね》三《さん》寸《ずん》

軽い気持ちで発した言葉やふと思ったことが重大な結果をもらたすこともある。だから、軽々しく話さず、注意深く物事を運べという、いましめの言葉。

用例 ●**舌三寸に胸三寸**とあるように、あまりでしゃばらないほうがよいのです。

類語 ●舌は禍《わざわい》の根／三寸の舌に五尺の身を亡《ほろ》ぼす

上《じょう》手《ず》の手《て》から水《みず》が漏《も》る

出典：『部屋三味線(へやじゃみせん)』

名人といわれる人でも、ちょっとした油断から思わぬ失敗をすることがある。専門家だからといって安心しすぎることがないよう、いましめる言葉。

用例 ●**上手の手から水が漏る**ようなことがないよう、常に初心を忘れずに対処してください。

類語 ●弘法にも筆の誤り／河童の川流れ／猿も木から落ちる

急《せ》いては事《こと》を仕《し》損《そん》ずる

出典：『出世景清(しゅっせかげきよ)』

何事も急いで行うと失敗することが多い。急いでいるときこそ、はやる気持ちを抑え、落ち着いて行動することが大切だという教え。

用例 ● **急いては事を仕損ずる**から、締め切り日が迫っているときほど落ち着いてください。
類語 ● 急がば回れ／慌てる乞食は貰いが少ない
反対 ● 先んずれば則ち人を制す／先手は万手

大《だい》事《じ》は小《しょう》事《じ》より起《お》こる

出典：『老子(ろうし)』

ささいなことが、重大事件を引き起こすきっかけになること。大きな事件は必ずそのもととなる前兆があるものなので、よく注意せよという教え。

用例 ● **大事は小事より起こる**といいます。小さなことでも気がついたら、お互いに声をかけ合うべきです。
類語 ● 大事は小事より過《あやま》つ／大事は小事より顕《あらわ》る

灯《とう》台《だい》下《もと》暗《くら》し

出典：『毛吹草(けふきぐさ)』

身近なことは、案外わかりづらいものであること。「灯台」は燭台(しょくだい)のことで、周囲を明るく照らすものの、そのすぐ下は暗くなって見づらいことから。

用例 ● そんなにあわてて捜索範囲を広げるのはいかがなものでしょうか。**灯台下暗し**といいますよ。
類語 ● 提灯持ち足下暗し／近くて見えぬは睫《まつげ》

年《とし》寄《よ》りの冷《ひ》や水《みず》

出典：『善悪両面児手柏(ぜんあくりょうめんちごのてかしわ)

老人が激しい運動をしたり、危険な行動をとるなど、年齢にふさわしくないふるまいをすること。年不相応のことをするのを、冷やかしたり、警告する意味に用いる。

用例 ● 早朝のジョギングも結構ですが、**年寄りの冷や水**とならないよう、くれぐれも慎重にお願いします。

類語 ● 老いの木登り／年寄りの力自慢

生《なま》兵《びょう》法《ほう》は大《おお》怪《け》我《が》の元《もと》

出典：『五輪書(ごりんのしょ)』

生かじりの知識や経験で物事を行うと、大きな失敗をするということ。未熟な兵法や武術に頼るのは、けがのもとであるということから。

用例 ● 最初からそんな大作を作ろうとすると失敗します。**生兵法は大怪我の元**というではありませんか。

類語 ● 生物《なまもの》知《し》り川へ嵌《は》まる／鵜《う》の真似をする烏《からす》

二《に》度《ど》あることは三《さん》度《ど》ある

出典：『敵討噂古市(かたきうちうわさのふるいち)』

同じようなことが二度続いて起こると、もう一度起こる可能性があるということ。悪いことが重なり、今後に向け注意を呼びかけるときなどに用いる。

用例 ● **二度あることは三度ある**といいますし、事故の再発防止に努めましょう。

類語 ● 一度あることは二度ある

反対 ● 柳の下にいつも泥鰌《どじょう》はいない

濡《ぬ》れぬ先《さき》の傘《かさ》

雨に濡れる前に傘を用意するように、事前に手回しよく用意しておくこと。またそのような準備の大切さを説く言葉。

用例●接待でいつ必要になるかもわからないので、店の情報はあらかじめ集めておいたほうがよいでしょう。**濡れぬ先の傘**ですよ。

類語●転ばぬ先の杖／降らぬ先の傘

念《ねん》には念《ねん》を入《い》れよ

出典：『壇浦兜軍記（だんのうらかぶとぐんき）』

十分注意した上に、さらに留意して手ぬかりのないよう確認し、万全を期すようにせよということ。

用例●アポイントメントは取ってあっても、**念には念を入れよ**といいますから、訪問前に電話で確認するべきです。

類語●浅い川も深く渡れ／石橋を叩いて渡る

喉《のど》元《もと》過《す》ぎれば熱《あつ》さを忘《わす》れる

出典：『為愚痴物語（いぐちものがたり）』

苦しかった体験も、時が経てば忘れてしまうということ。また、苦境にあったとき恩恵を受けた人も、楽になれば恩を忘れてしまうという意味でも用いる。

用例●**喉元過ぎれば熱さを忘れる**といいいます。失敗はえてして繰り返されるものですから、十分に注意深く行動してください。

類語●雨晴れて傘を忘れる／病治りて医師忘る

薔《ば》薇《ら》に刺《とげ》あり

出典：『毛吹草(けふきぐさ)』

美しい花を咲かせるバラの茎にとげがあるように、美しいものには恐ろしい面が隠されているから、注意しなければならないということ。

用例 ●新しい彼女が美しいからといって有頂天にならないように。**薔薇に刺あり**ですよ。

類語 ●刺のない薔薇はない／美しい花には毒がある

人《ひと》の振《ふ》り見《み》て我《わ》が振《ふ》り直《なお》せ

出典：『毛吹草(けふきぐさ)』

他人の態度、行動を見てその良し悪しを判断し、自分の行いを改めよという教え。人をいましめたり、人格・能力の向上を促したりするときに用いる。

用例 ●**人の振り見て我が振り直せ**というように、相手や仲間の行動から反省材料を探して、自らの向上に役立てなさい。

類語 ●人こそ人の鏡なれ／他山《たざん》の石

六《むい》日《か》の菖《あや》蒲《め》

5月5日の端午の節句に飾る菖蒲を6日に手に入れても役に立たないことから、時機に遅れて無用になることを表す。「六日の菖蒲、十日の菊」ともいう。

用例 ●**六日の菖蒲**にならないよう、贈り物はタイミングよく贈りたいものです。

類語 ●夏《か》炉《ろ》冬扇《とうせん》／後の祭／証文の出し遅れ

油《ゆ》断《だん》大《たい》敵《てき》

出典：『庭訓染匂車(ていきんそめにおいぐるま)』

たいしたことはないと気を緩めて注意を怠っていると、思わぬ失敗をするということ。油断せずに気を引き締めるようにと注意を促したりするときに用いる。

用例 ● 対戦相手がけがをしているからといって、気を緩めてはなりません。**油断大敵**ですよ。

類語 ● 勝って兜の緒を締めよ／小事は大事

楽《らく》は苦《く》の種《たね》苦《く》は楽《らく》の種《たね》

出典：『笑談医者気質(しょうだんいしゃかたぎ)』

人生の苦楽は表裏一体である。楽なときは油断せずに苦しいときに備え、苦しいときは希望を失ってはいけないという教え。

用例 ● **楽は苦の種苦は楽の種**といいますし、もうかっているからといって気をぬかず、創意工夫を重ねましょう。

類語 ● 楽あれば苦あり

スピーチが光る 英語のことわざ

Look before you leap.

跳ぶ前に見よ。

行動を起こす前に、慎重に検討しなさいという意。あわてて物事にとりかかることをいましめるときに用いる。似た意味を持つ日本のことわざに、「念には念を入れよ」(p.59)、「浅い川も深く渡れ」(p.51) がある。

努力／忍耐

言《い》うは易《やす》く行《おこな》うは難《かた》し

出典：『塩鉄論（えんてつろん）』

口で立派なことをいうのは簡単だが、それを実行するのは簡単ではなく、難しいものであるということ。

用例 ● **言うは易く行うは難し**といいます。この企画の実現には相当な努力が要求されるでしょう。

類語 ● 口では大阪の城も建つ／猫の首に鈴を付ける／知るの難きに非《あら》ず、行うの惟《これ》難きなり

石《いし》の上《うえ》にも三《さん》年《ねん》

出典：『毛吹草（けふきぐさ）』

冷たい石の上でも3年も座れば温まることから、困難な状況であっても粘り強くがんばれば、いつか報われることをいう。

用例 ● **石の上にも三年**というから、もうしばらくは今の職場でがんばりなさい。

類語 ● 商い三年／顎《あご》振り三年

※日常生活全般で努力の大切さを説く場合に使える。

一《いち》念《ねん》天《てん》に通《つう》ず

出典：『本朝俚諺（ほんちょうりげん）』

何事も強い信念を持って行えば、その真心が天に通じて成功し、報われるということ。人を励ましたり、動機付けしたりするときに用いる。

用例 ● 基本的な方針は正しいのですから、しかるべき努力を継続的に行えば、**一念天に通じる**ことでしょう。

類語 ● 精神一到何事か成らざらん／至誠《しせい》天に通ず

臥《が》薪《しん》嘗《しょう》胆《たん》

出典：『十八史略（じゅうはちしりゃく）』

「臥薪」は薪（たきぎ）の上に寝起きすること、「嘗胆」は苦い胆（きも）をなめることで、目的を達するために長い間自らに試練を課し、苦難に耐えることをいう。

用例 ●今現在の不運をなげいてばかりいても仕方ありません。**臥薪嘗胆**の気概をもってチャンスを待つことが大事です。

※日常生活全般で励ます場合に使える。

艱《かん》難《なん》汝《なんじ》を玉《たま》にす

出典：『英語のことわざ“ Adversity makes a man wise. ”』

多くの困難や苦労に遭い、それらを克服していくことによって、美しく磨かれた玉のように人格が練磨され、立派な人間に成長すること。

用例 ●**艱難汝を玉にす**と申します。この試練を乗り越えることで大きく成長し、来年こそは目標達成を果たしてください。

類語 ●玉磨かざれば光なし／雨だれ石を穿《うが》つ

心《しん》頭《とう》を滅《めっ》却《きゃく》すれば火《ひ》もまた涼《すず》し

出典：『夏日題悟空上人院詩（かじつだいごくうしょうにんいんし）』

心から雑念を払い、無念無想の境地に達すれば、火の中にあってさえ涼しく感じられる。困難な状況でも、心の持ち方次第で、辛さを感じなくなるという教え。

用例 ●非常に困難を極める事態に直面しているときでも、**心頭を滅却すれば火もまた涼し**の心持ちで臨めば辛くはないはずです。

すべての道《みち》はローマに通《つう》ず

出典：『寓話（ぐうわ）』

ローマ帝国に世界各地から道が通じていたように、目的に達する手段や方法はいくつもあるということ。また、一つの真理はどんなことにも適用されるという意。

用例 ●たとえ失敗するようなことがあったとしても**すべての道はローマに通ず**というように、必ずや別のアプローチをすることで目的は達成できると信じています。

狭《せま》き門《もん》より入《い》れ

出典：『新約聖書』

安易に妥協するより、目的や理想のために困難な道を選ぶほうがよいということ。「困難に負けず、理想を追求しなさい」と人を励ますときにも用いる。

用例 ●最初から妥協点を探るようなことはせず、持論を主張してください。**狭き門より入れ**といいます。

類語 ●苦は楽の種

畳《たたみ》の上《うえ》の水《すい》練《れん》

理論や方法は知っていても、実際には役に立たないことをいう。畳の上で水泳の練習をしても、実際に泳げるようにはならないことから。

用例 ●建築の豊富な知識を持っていても、現場で経験を積まなければ一人前の大工にはなれません。**畳の上の水練**では通用しないのです。

類語 ●机上の空論／鞍掛《くらか》け馬の稽古《けいこ》／炬燵《こたつ》の兵法

玉《たま》磨《みが》かざれば光《ひかり》なし

出典：『礼記(らいき)』

宝物の玉も磨いてこそ輝くように、すばらしい才能や素質を持っていても、努力してそれらを練磨しなければ、大成しないということ。

用例 ● 天才と謳《うた》われている彼女も、**玉磨かざれば光なし**で、今後のいっそうの精進が望まれます。

類語 ● 艱難汝《かんなんなんじ》を玉にす／玉磨かざれば宝［器］とならず

短《たん》気《き》は損《そん》気《き》

出典：『茶屋諸分調方記(ちゃやしょわけちょうほうき)』

一時の怒りにまかせて短気を起こすと、結局は本人が損をするということ。短気は思わしくない結果をもたらすので自制心を持ちなさいという、いましめ。

用例 ● **短気は損気**といいます。不愉快な物言いにもぐっとこらえることが必要です。

類語 ● 短気は身を亡ぼす腹切り刀

天《てん》は自《みずか》ら助《たす》くる者《もの》を助《たす》く

出典：『自助論(じじょろん)』

天は、人に頼らず自分自身で努力する人間に味方し、成功や幸福を与えるということ。自助努力の大切さを説くときに用いる。

用例 ● **天は自ら助くる者を助く**といいます。人をあてにせず、できる限りのことを自身でやってみるよう努力しなさい。

類語 ● 人事を尽くして天命を待つ

毒《どく》を食《く》らわば皿《さら》まで

出典：『毛吹草(けふきぐさ)』

一度悪に染まってしまった人間が、徹底的に悪事をやり通すこと。また、いったん手をつけたことは最後までやりぬきなさいという、軽い意味でも使われる。

用例 ●たまたまとはいえ、せっかくマラソンの選手に選ばれたのですから、**毒を食らわば皿まで**です。徹底的に練習を重ねるべきです。

類語 ●濡れぬ先こそ露をも厭《いと》え／乗りかかった舟

蒔《ま》かぬ種《たね》は生《は》えぬ

出典：『毛吹草(けふきぐさ)』

種をまかなければ何も生えてこないように、原因がなければ結果は生じない。よい結果を求めるなら、相応の努力をするべきであるという教え。

用例 ●**蒔かぬ種は生えぬ**といいますし、地道に顧客に営業をかけて、仕事を受注するしかありません。

類語 ●打たぬ鐘は鳴らぬ／物が無ければ影差さず

桃《もも》栗《くり》三《さん》年《ねん》柿《かき》八《はち》年《ねん》

出典：『浮世爺形気(うきよおやじかたぎ)』

種を植えて実がなるのに、桃、栗は3年、柿は8年かかることから、何事も一人前になるにはそれ相当の年月がかかるということ。

用例 ●**桃栗三年柿八年**というように、プロと認められるまでには、それ相応の年月がかかるものです。

類語 ●柚は九年で花盛り、梅は酸いとて十三年

若《わか》い時《とき》の辛労《しんろう》は買《こ》うてもせよ

出典：『俚言集覧(りげんしゅうらん)』

若いうちにする苦労は人間を鍛えてくれるものだから、自ら進んで引き受けよという教え。「辛労」とは苦労、困難のこと。

用例 ● **若い時の辛労は買うてもせよ**といいますから、受験勉強は辛抱強く行いなさい。

類語 ● 可愛い子には旅をさせよ

※日常生活全般で努力の大切さを説く場合に使える。

出典解説【日本の作品】

● 諺苑（げんえん）

関連ページ → 67、83、94、96、164、165、254

1797年刊。太田《おおた》全斎《ぜんさい》が江戸を中心に当時の日常生活から得たことわざを集め、イロハ順に収録した。後に増補改編されたものが『俚言集覧《りげんしゅうらん》』であり、江戸時代の代表的な国語辞書として知られている。

● 源平盛衰記（げんぺいじょうすいき）

関連ページ → 105

鎌倉から南北朝時代にかけて成立したといわれる、軍記物。作者不明。48巻。内容は平家一門の興亡が記され、平家物語とほぼ同じ。近世の文学や芸能に大きな影響を与えた。「げんぺいせいすいき」ともいう。

秋《あき》茄《な》子《す》は嫁《よめ》に食《く》わすな

出典：『諺草（ことわざぐさ）』

秋に実る茄子は特に味がよいので、憎らしい嫁に食べさせるのはもったいないということ。また、秋の茄子は体を冷やすので体によくないという、気づかう意味もある。

用例 ● **秋茄子は嫁に食わすな**といって嫁につらくあたっていたのは、昔のこと。今では逆にいましめの意でいわれることが多いようです。

類語 ● 秋鯖《さば》は嫁に食わすな／秋魣《かます》は嫁に食わすな

一《いっ》寸《すん》の虫《むし》にも五《ご》分《ぶ》の魂《たましい》

出典：『毛吹草（けふきぐさ）』

どんなに小さく弱い者でもそれ相応の意地や根性を持っているので、どんな相手でも決してあなどってはいけないということ。

用例 ● 野球が下手だった私は先輩にしごかれて辛い思いをしましたが、**一寸の虫にも五分の魂**という気でがんばりました。

類語 ● 蛞蝓《なめくじ》にも角がある／痩腕《やせうで》にも骨

驕《おご》れる者《もの》久《ひさ》しからず

出典：『老子（ろうし）』

思い上がった者はその地位を長く保つことができず、遠からず身を滅ぼすということ。現在の地位にあぐらをかかず、謙虚さを忘れないようにといういましめ。

用例 ● 優勝おめでとう。しかし**驕れる者久しからず**です。今後の切磋琢磨を期待しています。

類語 ● 盛者必衰／驕る平家《へいけ》は久しからず

雉《き》子《じ》も鳴《な》かずば打《う》たれまい

出典：『神道集(しんとうしゅう)』

言わなくてもよいことを話したために、自ら災難を招くたとえ。無用な言葉は慎み、うかつな行動をしないように注意するときなどに用いる。

用例 ●**雉子も鳴かずば打たれまい**です。自慢話をするときは相手に誤解されないよう、気を付けたほうがいいですよ。

類語 ●蛙は口から呑まるる

気《き》は心《こころ》

出典：『浮世床(うきよどこ)』

とるに足らない小さなことでも、その中に相手への真心や誠意が表されていること。また、それを相手にくみとって欲しいということ。

用例 ●大したことはできませんが、**気は心**と申します。真意をくんでいただければ幸いです。

類語 ● 気は心目はまなこ／塵《ちり》を結んでも志

其《そ》の罪《つみ》を悪《にく》んで其《そ》の人《ひと》を悪《にく》まず

出典：『刑論(けいろん)』

人が悪事をはたらいたとき、その罪を憎むのは当然だが、罪を犯した人を憎んではならないということ。人を裁くにあたり、心がけるべきことを表した言葉。

用例 ●憎しみから仕返しをしても、さらなるいさかいを呼ぶだけです。**其の罪を悪んで其の人を悪まず**の精神を心がけましょう。

類語 ●其の意を悪《にく》みて其の人を悪《にく》まず

他《た》山《ざん》の石《いし》

出典：『詩経(しきょう)』

他人のつまらない言行でも、自分の修養の助けとすること。自らの失敗談を打ち明けるときなどにも用いる。ビジネスや学校など日常生活全般で使える。

用例 ● 今回の彼らの失敗を**他山の石**とし、細心の注意を払って任務を完遂させてください。

類語 ● 人の振り見て我が振り直せ／人こそ人の鏡なれ

立《た》つ鳥《とり》跡《あと》を濁《にご》さず

出典：『西鶴織留(さいかくおりどめ)』

水鳥が飛び去ったあとの水は濁ったりせず澄んでいることから、人間も任務を終えるときには見苦しくないよう、きちんと後始末をすべきであるということ。

用例 ● いよいよ退職日まであと三日ですね。**立つ鳥跡を濁さず**の気持ちで引き継ぎを行ってください。

反対 ● 後足《あとあし》で砂をかける

沈《ちん》黙《もく》は金《きん》

出典：『雲鼓評万句合(うんこひょうまんくあわせ)』

弁舌でまくしたてるより、黙っているほうがよい場合があるということ。しゃべりすぎて損をしたり、悪い結果を招かないよう注意するときなどに用いる。

用例 ● 言葉には十分気を付けてください。弁が立つのは結構ですが、時には**沈黙は金**も必要ですよ。

類語 ● 多言《たげん》は一黙に如《し》かず

出《で》る杭《くい》は打《う》たれる

出典：『風来六部集(ふうらいろくぶしゅう)』

才能をあらわす人は、周囲からひがまれたり憎まれたりする。ましてや才能もないのにでしゃばる人は、周囲から悪く言われ、憎まれることが多いということ。

用例 ●**出る杭は打たれる**というように、若くして昇進したことを鼻にかけると、周囲からの風当たりも強くなりますよ。

類語 ●喬木《きょうぼく》は風に折らる

情《なさ》けは人《ひと》の為《ため》ならず

出典：『曽我物語(そがものがたり)』

情をかければそれがめぐりめぐって自分へ返ってくるので、人には親切にしなさいという意。なお「情けはその人のためにならない」という解釈は誤りである。

用例 ●**情けは人の為ならず**といいますし、日ごろから親切心を忘れないようにしましょう。

類語 ●思えば思わるる／人を思うは身を思う／積善《しゃくぜん》の家に余慶《よけい》あり

目《め》糞《くそ》鼻《はな》糞《くそ》を笑《わら》う

ともに同じような存在なのに、自分の欠点を棚に上げて、他人の欠点を笑ってばかにすること。

用例 ●びりから２番目であったあなたが最下位の選手を悪くいうと、**目糞鼻糞を笑う**といわれてしまいますよ。

類語 ●猿の面笑い／五十歩百歩

物《もの》言《い》えば唇《くちびる》寒《さむ》し秋《あき》の風《かぜ》

出典：松尾芭蕉の俳句

人の悪口や自分の自慢話など余計なことを口にすると、思いがけない災いを招くことになるということ。口は慎んだほうがよいという教え。

用例 ● **物言えば唇寒し秋の風**といわれるように、好き勝手なことばかり発言していると、友人がいなくなってしまいますよ。

類語 ● 口は禍《わざわい》の門《かど》／舌三寸に胸三寸

良《りょう》薬《やく》は口《くち》に苦《にが》し

出典：『孔子家語(こうしけご)』

人からの忠告は心地よいものではないが、自分のためになるという教え。よく効く薬ほど苦くて飲みづらいことから。

用例 ● 上司や先輩から時々厳しく指導されることもあるかもしれませんが、**良薬は口に苦し**と思って耳を傾けるべきです。

類語 ● 忠言耳に逆らう／林中《りんちゅう》に疾風多し

間違えやすい ことわざの解釈

誤用例：

A 社の例を他山の石として見習おう。

関連ページ → 70

「他山の石」とは、よその山の粗悪な石であり、まねしてはいけない言動のたとえ。他社の失敗例を引用して、「これを他山の石とし、わが社も改善を図ろう」とするなら適切だ。

学《がく》問《もん》に王《おう》道《どう》無《な》し

出典：ユークリッド(古代ギリシャ)の言葉『幾何学に王道なし』

学問は基本から積み重ねていくことで修得できるものであり、手早く身に付ける方法などあり得ないということ。

用例 ● **学問に王道無し**ですから、学校で教わった基礎を土台にほかの方法でもできないか、どんどん試してみなさい。

類語 ● 学問に近道無し／幾何学に王道なし

聞《き》くは一時《いっとき》の恥《はじ》、聞《き》かぬは一生《いっしょう》の恥《はじ》

出典：『捜神記(そうしんき)』

知らないことを聞くのはそのときだけの恥ですむが、聞かないまま放っておくと、自分の無知によって将来にわたり恥をさらすことになるということ。

用例 ● **聞くは一時の恥、聞かぬは一生の恥**ですから、わからないことがあれば、恥ずかしがらずに質問しましょう。

類語 ● 問うは一旦《いったん》の恥、問わぬは末代の恥

晴《せい》耕《こう》雨《う》読《どく》

晴れた日は田畑を耕し、雨の日は家で読書をするような、自由気ままな暮らしをすること。定年退職後の理想の暮らしぶりを表現するときなどに用いる。

用例 ● これからも在任中の志をまげることなく、郷里に戻ってからも**晴耕雨読**で学問を続けていってください。

大《だい》は小《しょう》を兼《か》ねる

出典：『春秋繁露(しゅんじゅうはんろ)』

大きい物は小さい物の役目も果たすが、小さい物は大きい物の代わりにはならない。小さい物より大きい物のほうが使い道が広く、役立つということ。

用例●新校舎設立予算の削減には反対です。やはり、**大は小を兼ねる**といいますから安易に簡素化するのは教育にもよくありません。

反対●杓子は耳掻きにならず／長持枕にならず

鉄《てつ》は熱《あつ》いうちに打《う》て

出典：英語のことわざ“Strike while the iron is hot.”

人間は純真な若いうちに鍛えておくべきだということ。また、新しい事業を起こすときなど、情熱が薄れないうちに、時機を逸せず実行しなくてはならないということ。

用例●初年度の教育方針に、皆様の教育に対する熱意が感じられます。**鉄は熱いうちに打て**というように最初が肝心だと思います。

類語●矯《た》めるなら若木のうち／好機逸すべからず

故《ふる》きを温《たず》ねて新《あたら》しきを知《し》る

出典：『論語(ろんご)』

過去のことを改めて検討して、さらに深い真理や知識、新しい見解を見出すこと。「温ねて」を「温（あたた）めて」ということもある。

用例●最先端の知識を追いかけることも大事ですが、**故きを温ねて新しきを知る**ということこそが、基礎とならなければいけません。

類語●温《おん》故《こ》知《ち》新《しん》

学《まな》びて思《おも》わざれば即《すなわ》ち罔《くら》し

出典：『論語(ろんご)』

学問は教えられたことを覚えるだけではなく、自分の頭でじっくり考えなければ、本当のところは理解できないということ。

用例 ●**学びて思わざれば即ち罔し**です。文献を書き写すだけではなく、あなたなりの解釈を加えてみることが重要です。

三《みっ》日《か》坊《ぼう》主《ず》

飽きっぽく、長続きしないこと。飽きっぽいことをいましめたり、何をやっても長続きしない人のことを批判するときに用いる。

用例 ●夏休みに日記をつけると決めたなら、**三日坊主**で終わらせず、最後まで続けなさい。

類語 ●蛇《へび》稽《げい》古《こ》

※人の悪い評価をする場合に使う。

門《もん》前《ぜん》の小《こ》僧《ぞう》習《なら》わぬ経《きょう》を読《よ》む

出典：『毛吹草(けふきぐさ)』

日常的に何度も見たり聞いたりしているうちに、習わなくても覚えてしまうこと。また、人が環境や常に接する人から影響を受けることをたとえる。

用例 ●**門前の小僧習わぬ経を読む**というように、子どもたちにとって、やはり勉強する環境が大変重要なことなのではないでしょうか。

類語 ●勧学院の雀は蒙求《もうぎゅう》を囀《さえず》る

家族／家庭

いつまでもあると思《おも》うな親《おや》と金《かね》

親は子どもより早く死ぬのが自然の摂理であり、金も使えばなくなってしまう。だから、親に頼らず独立心を養い、節約を心がけなければならないという教え。

用例 ●**いつまでもあると思うな親と金**ですから、子どもが就職したら自活させるのは当然のことです。

反対 ●いつまでもないと思うな運と災難

犬《いぬ》は三日《みっか》飼《か》えば三年《さんねん》恩《おん》を忘《わす》れぬ

出典：『四千両小判梅葉(よんせんりょうこばんうめのは)』

犬でも三日間飼えば三年恩を忘れないのだから、人間はすぐに恩を忘れるような恩知らずであってはならないという、いましめ。

用例 ●**犬は三日飼えば三年恩を忘れぬ**というのに、わが子に親の苦労を知らしめることほど難しいことはありません。

反対 ●猫は三年飼われても三日で恩を忘れる

嘘《うそ》つきは泥棒《どろぼう》の始《はじ》まり

嘘をいつもついていると、それが悪いという意識がなくなり、やがては盗みも悪いことと思わなくなるということ。嘘はついてはいけないという、いましめ。

用例 ●**嘘つきは泥棒の始まり**といいます。子どもの小さな嘘もきちんと注意しなければ。

類語 ●嘘は盗人《ぬすびと》の始まり／嘘は盗みの基《もと》

反対 ●嘘も方便／嘘は日本の宝

生《う》みの親《おや》より育《そだ》ての親《おや》

生んでくれた親よりも、苦労して育ててくれた親のほうに、より愛情もわき恩義も感じられるということ。

用例 ●自分の出生をあきらかにしたい気持ちはわかりますが、**生みの親より育ての親**という言葉も忘れないでください。

類語 ●生みの恩より育ての恩

瓜《うり》の蔓《つる》に茄《な》子《す》はならぬ

出典：『比丘貞(びくさだ)』

平凡な親から非凡な子は生まれないということ。子が親に似るたとえや、親がわが子を謙遜するときに用いることが多い。

用例 ●**瓜の蔓に茄子はならぬ**というじゃないか。子どもの教育にお金をかけ過ぎるのは賛成できないな。

類語 ●蛙の子は蛙／鳶の子鷹にならず

老《お》いては子《こ》に従《したが》え

出典：『大智度論(だいちどろん)』

年老いてからは我をはらず、子どもの言うことに従っていくほうがうまくいくという教え。かつては女性を対象としていたが、現在は高齢者全般に使われる。

用例 ●**老いては子に従え**といいますから、子どもと意見が合わないときは、決定権を譲ることも必要ではないでしょうか。

負《お》うた子《こ》に教《おし》えられて浅《あさ》瀬《せ》を渡《わた》る

出典：『近江館先陣館(おうみやかたせんじんやかた)』

人は、時には自分より未熟な者に教えられることもあるということ。生徒、部下など、密接な関係がある目下の者を子になぞらえることもある。

用例●私も様々な経験をしてまいりましたが、時には**負うた子に教えられて浅瀬を渡る**といった局面もありました。

類語●三つ子に習って浅瀬を渡る

親《おや》の心《こころ》子《こ》知《し》らず

子どもを思う親心の深さも知らず、子どもは好き勝手にふるまうものだということ。上司、先生など親身になって面倒をみる人を親にたとえて用いることもある。

用例●周囲の反対を押し切って家出同然に東京に来るなんて、**親の心子知らず**ですよ。

類語●親の思う程子は思わぬ

反対●子の心親知らず

烏《からす》の行《ぎょう》水《ずい》

出典：『大抵御覧(たいていごらん)』

カラスの水浴びがとても短いように、非常に短い時間で入浴を終えてしまうこと。

用例●湯船につかったら百数えてから出なさい。**烏の行水**では体が温まりませんよ。

類語●烏浴び

可《か》愛《わい》い子《こ》には旅《たび》をさせよ

出典：『当世導通記(とうせいどうつうき)』

子どものためを思うなら、親元で甘やかすよりも、世間に出して苦労させたほうが子どものためになるということ。

用例●**可愛い子には旅をさせよ**といわれるように、海外留学も子どもの成長には必要かもしれません。

類語●獅子の子落とし／可愛い子は打って育てろ

葷《くん》酒《しゅ》山《さん》門《もん》に入《い》るを許《ゆる》さず

出典：『独寝(ひとりね)』

禅寺の山門わきの石柱によく見られる標語。ニラ、ネギなど臭気の強い野菜と酒は修行の妨げとなるので、寺の門内に入れることは許さないという意味である。

用例●そんなに暴飲暴食しないで、少しは**葷酒山門に入るを許さず**を見習ったらどうでしょうか。

反対●葷は許さず酒山門に入る

孝《こう》行《こう》のしたい時《じ》分《ぶん》に親《おや》は無《な》し

出典：『青砥稿花紅彩画(あおとぞうしはなのにしきえ)』

育ててくれた親の苦労がわかる年ごろには、すでに親は亡くなっていて親孝行ができないということ。親のありがたさや親孝行の大切さを説くときなどに用いる。

用例●**孝行のしたい時分に親は無し**というから、君が苦労をかけた分、これからご両親に孝行してあげなさい。

類語●風樹《ふうじゅ》の歎《たん》

子《こ》は鎹《かすがい》

出典：『金看板侠客本店（きんかんばんたてしのほんだな）』

多少夫婦仲が悪くても、鎹が二つの材木をつなぎとめるように、子どもへの愛情で夫婦の絆が保たれるということ。

用例 ● **子は鎹**といいます。夫婦仲のことを嘆くより、子育てにもっと気を配るべきですよ。

類語 ● 子は夫婦の鎹／縁の切れ目は子で繋ぐ

子《こ》を持《も》って知《し》る親《おや》の恩《おん》

出典：『奥州安達原（おうしゅうあだちがはら）』

自分が親になり、子育ての苦労をしてみて初めて、自分を育ててくれた親のありがたさや、子を思う親の深い愛がわかるようになるものだということ。

用例 ● **子を持って知る親の恩**といいます。お二人も早く子どもをつくり、育ててくれたご両親の恩を知っていただきたいと思います。

類語 ● 子を育てて知る親の恩／子を持てば親心

獅《し》子《し》の子《こ》落《おと》とし

出典：『太平記（たいへいき）』

子どもに苦難の道を歩ませ、一人前に育て上げること。獅子が子を谷に突き落とし、自力ではい上がってくる子だけを育てるという伝説から。

用例 ● 子どもは可愛いものですが、時には、**獅子の子落とし**の故事を思いおこしていただけたら、と考えています。

類語 ● 可愛い子には旅をさせよ／獅子の子育て

親《した》しき仲《なか》にも礼《れい》儀《ぎ》あり

出典：『北条氏直時代諺(ほうじょううじなおじだいことわざ)』

どんなに親しい仲でも、礼儀は守るべきであるということ。親しいからといって礼を失すれば不和を招くもとになるという、いましめ。

用例 ● **親しき仲にも礼儀あり**といいますから、たとえ兄弟どうしでもお金の貸し借りには注意を払うべきだと思います。

類語 ● 心安いは不和の基《もと》／親しき仲に垣《かき》をせよ

正《しょう》直《じき》の頭《こうべ》に神《かみ》宿《やど》る

出典：『義経記(ぎけいき)』

神様は正直者を見守ってくれているので、正直にしていれば、いつか必ず神の加護があるという意。正直であれと促したり、人を励ますときに用いる。

用例 ● **正直の頭に神宿る**といいますから、正直であればいつか必ずよいことがあるでしょう。

類語 ● 正直は一生の宝／正直は最善の策

反対 ● 正直者が馬鹿を見る

備《そな》え有《あ》れば患《うれ》い無《な》し

出典：『書経(しょきょう)』

平生からいざというときのために備えておけば、万一の場合も心配はないということ。天災や火事、事故など非常時への備えを説くときに用いることが多い。

用例 ● 緊急用の持ち出し袋を常備するなど、**備え有れば患い無し**です。備えを徹底しましょう。

※ビジネスなど日常生活全般でも使える。

血《ち》は水《みず》よりも濃《こ》い

出典：英語のことわざ "Blood is thicker than water."

血族のつながりは他人に比べて結びつきが強く、頼りにできるということ。また、人の性質は遺伝によるところが大きいという意味で使われることもある。

用例 ● **血は水よりも濃い**というように、親子の絆ほど強いものはないのですよ。

類語 ● 兄弟は両の手

反対 ● 兄弟は他人の始まり／他人は時の花

無《な》くて七《なな》癖《くせ》

出典：『根無草(ねなしぐさ)』

人は一見癖がないように見えても、誰でも七つくらいは持っているということ。人の癖をユーモアをこめて指摘したり、自らを謙遜するときに使う。

用例 ● **無くて七癖**といいますが、夫婦の円満を維持するなら、お互いの悪い癖は直すように心がけるべきです。

類語 ● 無くて七癖有って四十八癖／人に一癖

早《はや》起《お》きは三《さん》文《もん》の徳《とく》

早起きをすると、健康によく、何かと得をすることが多いということ。「徳」を「得」と書くこともある。

用例 ● 予定がないからといっていつまでも寝ているのは感心しません。**早起きは三文の徳**というではないですか。

類語 ● 早起きの鳥は餌に困らぬ

夫《ふう》婦《ふ》喧《げん》嘩《か》は犬《いぬ》も食《く》わぬ

出典：『諺苑(げんえん)』

夫婦げんかは少しのきっかけでおさまるものだから、親身になって心配するのはばかばかしい。何でも口にする犬でさえ、夫婦喧嘩にはそっぽを向くということから。

用例 ● 隣の家のことは放っておきなさい。**夫婦喧嘩は犬も食わぬ**といいますし、そのうち解決しますよ。

類語 ● 夫婦喧嘩は寝て直る

孟《もう》母《ぼ》三《さん》遷《せん》の教《おし》え

出典：『古列女伝(これつじょでん)』

子どもの教育にはよい環境を選ぶことが特に大切であるということ。孟子の母がわが子の教育に適した環境を求めて、三度も引越しをしたという故事から。

用例 ● **孟母三遷の教え**のとおり、子どもを育てていく上での環境は慎重に選ぶべきです。

類語 ● 慈《じ》母《ぼ》三遷の教え／三遷断《だん》機《き》

律《りち》儀《ぎ》者《もの》の子《こ》沢《だく》山《さん》

律儀な男は外で遊びにふけることもなく、家庭円満で夫婦仲もよいため、おのずと子どもが多く生まれるということ。

用例 ● 少子化が進み、**律義者の子沢山**という家庭は少なくなりました。

類語 ● 貧乏人の子沢山／貧乏柿の核《さね》沢山

心に残る 名言・金言

高尚なる男性は、女性の忠告によって、いっそう高尚になる。

ゲーテ［1749～1832 ドイツの詩人・小説家］

すべてにおいて優れた男性は、愛情豊かな女性の助力を得て、いっそう成長するものだということ。結婚披露宴で、新郎新婦に対してはなむけの言葉を述べるときなどに適した言葉である。

一家は習慣の学校なり。
父母は習慣の教師なり。

福沢諭吉［1835～1901 日本の思想家］

家庭での、親から子への教育の大切さを述べたもの。親が子どものしつけを学校に求めがちな現代においても、一石を投じる意味を持つ。PTAの会合でスピーチをするときなどに使いたい。

子を不幸にする一番確実な方法は、いつでも、何でも手に入れられるようにしてやることだ。

ルソー［1712～78 フランスの思想家］

親が子どもに与え過ぎることを批判した言葉。子どもには努力してほしいものを獲得することや、時には我慢することも教えねばならない。これは「可愛い子には旅をさせよ」（p.79）の精神にも通じる。PTAの会合でのスピーチなどに引用できるだろう。

第3章

性格・状況を表す

- 勢いがある／快調
- 幸運／幸福
- 手際がよい／たやすい
- はっきりした
- 不安／疑い
- 危険な／切迫した
- 不快／辛い／悲しい
- 怒り
- うまくいかない
- 軽薄
- あいまい／中途半端
- 元気がない
- 失敗する／損害を受ける
- 驚き
- 無駄
- 無関心／無関係
- 不可能／無理
- お金
- いろいろな人間関係
- 謙遜した表現
- その他

勢いがある／快調

意《い》気《き》軒《けん》昂《こう》

元気いっぱいで、勢いの盛んなこと。意気込みが盛んで、得意なさま。多くは、人や団体の志気や能力が高く、たいへん頼もしいようすを表す。

用例 ●社員が**意気軒昂**と仕事に励む、活気のある会社に就職することができました。
類語 ●意気揚々《ようよう》
反対 ●意気消沈《しょうちん》

一《いち》陽《よう》来《らい》復《ふく》

出典：『易経(えききょう)』

寒い冬が去って暖かい春が来ること。転じて、悪いことやつらいことが続いたあとに、幸運がめぐってきたり、よいほうへ向かったりすること。

用例 ●不況の時代が長く続きましたが、最近、ようやく**一陽来復**の兆しが見えてきました。
※幸運を表す場合にも使える。

一《いっ》騎《き》当《とう》千《せん》

出典：『太平記(たいへいき)』

もともとは千人の敵と戦えるような勇者のこと。転じて、人並外れた能力や経験などを持っていることや、そのような人を指す。

用例 ●厳しい予選を勝ち抜いた**一騎当千**の選手たちが、全国大会に臨みます。
類語 ● 一人《いちにん》当千／千人力《せんにんりき》
※人を良く評価する場合にも使える。

鬼《おに》に金《かな》棒《ぼう》

出典：『国性爺合戦(こくせんやがっせん)』

もともと強いものに、さらに強力なものが加わること。強いものどうしの組み合わせによって、ほかを寄せ付けないほど圧倒的な力を持つ存在になることを表す。

用例 ●すばらしい実力を持つあのチームに強いと評判の選手が加われば、**鬼に金棒**です。

類語 ●虎に翼／弁慶になぎなた

反対 ●餓鬼《がき》に苧殻《おがら》／木匠《たくみ》に才槌《さいづち》

女《おんな》三《さん》人《にん》寄《よ》れば姦《かしま》しい

出典：『譬喩尽(たとえづくし)』

女性はおしゃべりが好きなので、3人も集まるとうるさいくらい、にぎやかになるということ。「姦」は、女を三つ合わせた字で、「やかましい」の意味があることから。

用例 ●**女三人寄れば姦しい**ということわざ通り、女友達が集まると、会話が盛り上がります。

女《おんな》の一《いち》念《ねん》岩《いわ》をも通《とお》す

出典：『蝉丸(せみまる)』

女性は思い込むといつまでも忘れず、執念深い。女性の執念は、岩を貫き通すほどすさまじいものだということのたとえ。

用例 ●まわりから不可能と思われていた新商品の開発を、**女の一念岩をも通す**という通り、彼女は見事に実現させました。

類語 ●岩をも通す女の一念／女の一途《いちず》は岩をも通す

性格・状況を表す

枯《か》れ木《き》に花《はな》

出典：『源氏物語(げんじものがたり)』

衰えていたものが再び勢いを盛り返したり、奇跡的なことが起こったりすること。また、望んでも実現できないことを表すこともある。

用例 ●熱心な町おこしのおかげで、町に活気が戻るなんて、まさに**枯れ木に花**だといえます。

類語 ●炒《い》り豆に花が咲く／埋もれ木に花咲く／老い木に花咲く／石に花咲く

勧《かん》善《ぜん》懲《ちょう》悪《あく》

出典：『春秋左氏伝(しゅんじゅうさしでん)』

よい行いをするように勧め、悪事を懲らしめること。また、よいことを行い、悪事を行わないようにしむけること。

用例 ●この前のトラブルでの彼の解決に向けての活躍は、まさに**勧善懲悪**のドラマを見ているようでした。

※善悪の道理を表す場合にも使える。

気《き》宇《う》壮《そう》大《だい》

気構えや度量が並外れて大きく、考え方や発想がいきいきとして、さえていること。計画や夢、アイデアなどのスケールの大きさや切れ味のよさを表す。

用例 ●あの有名な建築家が提案した都市計画は、まさに**気宇壮大**ですね。／わが社にとって世界市場のトップに立つことは、**気宇壮大**で、取り組みがいのある目標だ。

捲《けん》土《ど》重《ちょう》来《らい》

出典：『題_烏江亭_(うこうていにだいす)』

一度負けたり、失敗したりして退いた者が、再び体勢を立てなおし、勢いを盛り返して攻めてくること。「けんどじゅうらい」とも読む。

用例 ●一度は司法試験に失敗したものの、今度こそはと**捲土重来**を期して猛勉強しました。

※状況の変化や逆転を表す場合に使える。

獅《し》子《し》奮《ふん》迅《じん》

出典：『法華経(ほけきょう)』

獅子が奮い立って暴れまわる意から、すさまじい勢いで立ち向かうこと。猛烈な勢いで奮闘し、能力を発揮するようす。

用例 ●先発メンバーが**獅子奮迅**の大活躍を遂げ、チームは勝利を収めました。

※人を良く評価する場合にも使える。

出典解説【日本の作品】

● 国性爺合戦（こくせんやかっせん）

関連ページ →87、193

近松門《ちかまつもん》左《ざ》衛《え》門《もん》作の浄瑠璃・歌舞伎作品。日本と中国を舞台に、明朝再興にまつわる史実に基づいて、雄大なストーリーが展開する。1715年初演で、3年越しの長期公演という大当たりとなった。

順《じゅん》風《ぶう》満《まん》帆《ぱん》

出典：『醒睡笑(せいすいしょう)』

帆が追い風をいっぱいに受け、船が快調に進むこと。転じて、物事すべてが思い通りに運び、何の支障もなく、順調に進んでいること。

用例 ●就職も結婚も思いを遂げることができ、私の人生は**順風満帆**そのものです。

類語 ●得手《えて》に帆を上げる／追風《おいて》に帆を上げる

※祝い事の席でも使える。

前《ぜん》途《と》洋《よう》洋《よう》

将来の可能性が大きく広がっていて、希望に満ちていること。卒業式や成人式など若者の門出を祝うときや、組織や計画などの有望さを表すときに用いる。

用例 ●本日成人式を迎えたみなさんの、**前途洋洋**たる門出をお祝いします。

類語 ●前途有望

反対 ●前途多難

猪《ちょ》突《とつ》猛《もう》進《しん》

出典：『漢書(かんじょ)』

イノシシが一直線に突進するように、後のことは考えず、猛烈な勢いで突き進むこと。よい意味でも、悪い意味でも用いる。

用例 ●若い人は後先を考えず、**猪突猛進**してしまうものです。／君は新人なのだから、目標に向かって**猪突猛進**するところがあってもいいと思います。

伝《でん》家《か》の宝《ほう》刀《とう》

いざというときや非常に重要な局面でしか使わない、奥の手や切り札のことをいう。「伝家の宝刀を抜く」といった形で、それを駆使する意味で用いる。

用例 ●**伝家の宝刀**のフォークボールで、彼は三振の山を築きました。／取締役会はついに**伝家の宝刀**を抜き、社長の解任を決議しました。

飛《と》ぶ鳥《とり》も落《お》ちる

出典：『平治物語（へいじものがたり）』

空を飛んでいる鳥さえ落としてしまうほど、権勢や勢力が盛んであること。「飛ぶ鳥も落ちる勢い」というように、後ろに「勢い」を伴うことが多い。

用例 ●今の彼には、**飛ぶ鳥も落ちる**ほどの勢いがあります。

類語 ●草木も靡《なび》く

※人を良く評価する場合にも使える。

日《にっ》進《しん》月《げっ》歩《ぽ》

毎日、毎月のように絶え間なく進歩し続けること。物事が絶えず進歩し、次第に発展を遂げていくことをいう。

用例 ●科学技術は**日進月歩**の歩みを続けています。

類語 ●日に就《な》り月に将《すす》む／日《ひ》日《び》に新たにして又日に新たなり

反対 ●旧態依《きゅうたいい》然《ぜん》

念《ねん》力《りき》岩《いわ》を通《とお》す

出典：『蝉丸(せみまる)』

不可能に思えることも、心をこめて行えば達成できるということ。一心に行うようすを表すときや、人を励ますときなどに用いる。

用例 ● 難しい課題ですが、**念力岩を通す**といいます。きっと達成できると信じています。

類語 ● 一念岩をも徹《とお》す／石に立つ矢／雨だれ石を穿《うが》つ／一念天に通ず

破《は》竹《ちく》の勢《いきお》い

出典：『晋書(しんじょ)』

竹は一節割れ目を入れると、一挙に割れていくことから、やめるにやめられない勢いをいう。また、人や団体が勝負事などで勢いづくようすを表す。

用例 ● あのチームは、**破竹の勢い**で勝ち続けています。

類語 ● 刃《じん》を迎えて解く

日《ひ》照《で》りに雨《あめ》

日照り続きのあとに待望の雨が降るように、待ち望んでいたことがやっと実現すること。願いがかなったときや助けられたときに、喜びの気持ちを込めて用いる。

用例 ● 浪人生活を経たあとの志望校への合格を、**日照りに雨**のように喜びました。

類語 ● 旱天《かんてん》の慈雨／闇夜の提灯／地獄で仏に逢ったよう／渡りに船

出典解説【日本の作品】

● 十訓抄（じっきんしょう）

関連ページ →54、167、273

鎌倉時代の説話集。1252 年成立。作者は六波羅《ろくはら》二臈左衛門《にろうざえもん》入道など諸説ある。3巻。青少年の啓蒙を目的として、日本や中国、インドに伝わる説話280編を集め、10項目に分けて収録した。後の教訓書のさきがけとなった書。

● 神霊矢口渡（しんれいやぐちのわたし）

関連ページ →103、114、240

江戸浄瑠璃の代表的作品。歌舞伎でも上演される。作者は福内鬼外《ふくうちきがい》こと平賀源内《ひらがげんない》ら。5段。1770年初演『太平記《たいへいき》』巻三十三に題材をとり、新田義貞《にったよしさだ》とその子義興《よしおき》の悲劇、義興の死後の後日談を描いた。

● 曽我物語（そがものがたり）

関連ページ →71、162、214、224

軍記物語。作者不明。原本は南北朝期初頭には成立していたといわれる。1193年、曽我兄弟が父のかたき工藤祐経《くどうすけつね》を討った史実に基づく。広く民衆に語り継がれ、後世の文学や演劇に大きな影響を与えた。

幸運／幸福

一《いっ》挙《きょ》両《りょう》得《とく》

出典：『晋書(しんじょ)』

一つの行動によって同時に二つの利益を収めること。わずかな努力で多くの利益を得ることをいい、よい意味で用いる。

用例●趣味に打ち込むと、友人づくりもストレス解消もできて、**一挙両得**です。
類語●一石二鳥《いっせきにちょう》
反対●虻蜂《あぶはち》取らず／二兎《にと》を追う者は一兎《いっと》をも得ず

一《いっ》石《せき》二《に》鳥《ちょう》

出典：英語のことわざ“To kill two birds with one stone.”

一個の石を投げて二羽の鳥を落とすこと。転じて、一度の行為で同時に二つの目的を果たすことを指し、よい意味で用いる。

用例●社会のためにもなり、お金儲けにもなるような、**一石二鳥**の仕事がしたいものです。
類語●一挙両得《いっきょりょうとく》
反対●虻蜂《あぶはち》取らず／二兎《にと》を追う者は一兎《いっと》をも得ず

犬《いぬ》も歩《ある》けば棒《ぼう》に当《あ》たる

出典：『諺苑(げんえん)』

もともとは、出しゃばると災難に遭うという意味だったが、現在は、取り柄のない人間でも積極的に行動すれば、意外な幸運にめぐり合うという意味で用いる。

用例●**犬も歩けば棒に当たる**といいます。採用されるかどうかはさておき、職場で提案してみましょう。

果《か》報《ほう》は寝《ね》て待《ま》て

出典：『毛吹草(けふきぐさ)』

運は自分の力だけではどうにもならない。気長に構えていればそのうち幸運はやってくるので、焦らずに待ちなさいという教え。

用例●**果報は寝て待て**といいますし、落ち着いて合否の結果を待ちましょう。

類語●福は寝て待て／待てば海路の日和あり

反対●寝ていて牡丹餅《ぼたもち》は食えぬ／蒔かぬ種は生えぬ

鴨《かも》が葱《ねぎ》を背負《しょ》って来《く》る

願ってもない好都合なこと。利用価値のあるものにさらに利用できるものが加わり、ますます都合がよくなること。お人好しを批判したり、ばかにするときに用いる。

用例●金がなくて困っているところに、金持ちで世間知らずの彼がたずねてくるなんて、**鴨が葱を背負って来る**ようなものです。

類語●願ったり叶《かな》ったり

旱《かん》天《てん》の慈《じ》雨《う》

日照り続きで水不足に苦しんだあと、雨に恵まれるように、困っているときに救われること。また、待望のものがようやく手に入ること。

用例●過疎化する村にとって、若者のＵターンは**旱天の慈雨**のように喜ばしいことです。

類語●日照りに雨／地獄で仏に逢ったよう／闇夜の提灯／渡りに船

地《じ》獄《ごく》で仏《ほとけ》に逢《あ》ったよう

出典：『平家物語(へいけものがたり)』

地獄で情け深い仏に出会うように、大きな困難に直面した状況で、思いがけない助けを得て喜ぶこと。助けに対する喜びやうれしさ、感謝の気持ちを表す言葉。

用例●山道で迷ったとき、通りすがりの人に助けられ、**地獄で仏に逢ったよう**に感じました。

類語●旱天《かんてん》の慈雨／日照りに雨／闇夜の提灯／渡りに船

棚《たな》から牡《ぼ》丹《た》餅《もち》

出典：『諺苑(げんえん)』

寝ころんで口を開けているところへ牡丹餅が落ちてくるような、思いもよらない幸運のこと。略して「たなぼた」ともいう。

用例●**棚から牡丹餅**のように、思いがけず大金が転がりこんできました。

類語●開いた口へ牡丹餅

反対●棚の牡丹餅も取らねば食えぬ

濡《ぬ》れ手《て》で粟《あわ》

出典：『浮世名所図絵(うきよめいしょずえ)』

たいした苦労もしないで大きな利益を得ること。濡れた手で粟をつかむと、粟が手に付き、つかんだ以上の粟を取ることができることから。

用例●相手チームの守備が乱れ、私たちは**濡れ手で粟**の勝利を手にしました。

類語●一攫千金《いっかくせんきん》／漁夫の利

残《のこ》りものに福《ふく》がある

人が取ったあとの残ったものに、思いがけず利得があること。また、人と争わず思慮深く行動しなさいという教え。

用例 ●**残りものに福がある**からといって最後にくじ引きをしたA君は、見事に一等が当たったそうです。

類語 ●余り茶に福あり／余り物には福がある

下《へ》手《た》な鉄砲《てっぽう》も数《かず》撃《う》ちゃ当《あ》たる

何事も、まぐれ当たりでうまくいくチャンスはある。だから、下手な者でもあきらめずに数多く試みれば、いずれは成功するものであるということ。

用例 ●**下手な鉄砲数撃ちゃ当たる**といいます。数多く試験を受けてみたら、どこかに合格するかもしれませんよ。

類語 ●下手な鍛冶屋《かじや》も一度は名剣《めいけん》

明《めい》鏡《きょう》止《し》水《すい》

出典：『荘子(そうじ)』

静かで澄みきった心の状態をいう。邪念が全くなく、心が落ち着いているさま。物事が一件落着したときの、わだかまりのない心境などを表す。

用例 ●すべてが収まるところに収まり、難題も解決して、今はまさしく**明鏡止水**の心境です。

闇《やみ》夜《よ》の提《ちょう》灯《ちん》

困っているときに、一番必要なもの、助けになるものにめぐり合うこと。困窮した状態を「闇夜」に、助けになるものを「提灯」にたとえたもの。

用例 ● 迷子になったときに交番を見つけ、**闇夜の提灯**を得たように安堵しました。

類語 ● 渡りに船／旱天《かんてん》の慈雨／地獄で仏に逢ったよう／日照りに雨

両《りょう》手《て》に花《はな》

出典：『柳多留(やなぎだる)』

良いことが重なったり、すばらしいものを二つ同時に手に入れたりすること。特に、一人の男性の両脇に女性が並んだ状態を指すことが多い。

用例 ● 昨日の宴会では両隣に美人が座り、周囲から**両手に花**だと冷やかされました。

類語 ● 両手に旨い物／梅と桜を両手に持つ

笑《わら》う門《かど》には福《ふく》来《き》たる

出典：『好色万金丹(こうしょくまんきんたん)』

家族が仲よく暮らし、笑顔がいつも絶えない家には、自然と幸福が訪れるということ。また、幸せになりたければ、自分でそれを大切にしなさいということ。

用例 ● **笑う門には福来たる**といいます。悩みがあっても笑顔を絶やさなければ、いずれ幸せになれるでしょう。

類語 ● 和《わ》気《き》財を生ず

赤《あか》子《こ》の手《て》を捻《ひね》る

出典：『鶴千歳曽我門松(つるはせんざいそがのかどまつ)』

何の苦労もなく、楽々と簡単にできること。また力量の劣る相手を簡単に打ち負かすこと。「赤子の手を捻るよう」という形で用いることが多い。

用例 ● Aチームにとって、経験の少ないBチームとの対戦は、**赤子の手を捻る**ようなものです。

類語 ● 赤子の腕を捩《ねじ》る

一《いち》網《もう》打《だ》尽《じん》

出典：『宋史(そうし)』

一度の網で魚を捕りつくすように、悪者や敵を残らず一気につかまえること。警察などが犯罪組織を捕らえ、犯罪の根を絶つこと。

用例 ● 今回の摘発をきっかけに、密売組織は**一網打尽**となりました。

一《いっ》刀《とう》両《りょう》断《だん》

出典：『朱子語類(しゅしごるい)』

刀を一回振り下ろしただけで、まっ二つに切ること。転じて、物事を鮮やかに、すばやく処理すること。断固たる態度で決断し、問題を解決するさまを表す。

用例 ● 難しい問題でしたが、社長は**一刀両断**のもとに決断しました。

類語 ● 快刀《かいとう》乱麻《らんま》を断つ

快《かい》刀《とう》乱《らん》麻《ま》を断《た》つ

複雑な問題や難題を、鮮やかな手際で処理したり、解決したりするようす。切れ味鋭い刀で、もつれた麻糸をすっぱりと切ることから。

用例●彼女は、長年にわたる懸案を、**快刀乱麻を断つ**ように処理しました。

類語●一刀両断《いっとうりょうだん》

※人を良く評価する場合にも使える。

弘《こう》法《ぼう》筆《ふで》を選《えら》ばず

名人、達人といわれるほどの人は、道具の良し悪しを問わないものであるということ。書の名人であった弘法大師が、粗末な筆でも立派な文字を書いた故事から。

用例●紙と鉛筆だけでリアルにスケッチしただけなのに、**弘法筆を選ばず**とほめられました。

類語●名筆は筆を選ばず

反対●下手の道具調べ／下手の道具立て

鶴《つる》の一《ひと》声《こえ》

出典：『傾城島原蛙合戦(けいせいしまばらかわずがっせん)』

多数の小鳥がさえずる声よりも鶴の一声のほうがよく響くように、権威のある人や有力者が、まとまらない議論をただ一言で決めてしまうこと。

用例●なかなか意見がまとまりませんでしたが、会長の**鶴の一声**ですんなり方針が決まりました。

類語●雀の千声《せんごえ》鶴の一声

はっきりした

雲《うん》散《さん》霧《む》消《しょう》

雲や霧が風や太陽の光によってたちまち消えてしまうように、物事があとかたもなく消え失せること。疑いや疑問が解けたときなどに用いる。

用例 ● スタッフの丁寧な説明で、顧客の抱いていた不安は**雲散霧消**となったようです。

類語 ● 雲消霧散《うんしょうむさん》／雲散鳥没《ちょうぼつ》

単《たん》刀《とう》直《ちょく》入《にゅう》

出典：『景徳伝灯録(けいとくでんとうろく)』

前置きや余談を省いて本題に入ること。遠まわしないいかたをせず、直接核心をつくこと。相手にとって思わしくない内容をはっきりと告げるときなどに用いる。

用例 ● **単刀直入**にいって、今回のトラブルはあなたのミスが原因です。／まわりくどい説明はやめて、**単刀直入**におっしゃってください。

歯《は》に衣《きぬ》着《き》せぬ

出典：『春色梅児誉美(しゅんしょくうめごよみ)』

遠慮したり、飾ったりせずに、物事をはっきりということ。相手の立場をあれこれと考えずに、自分の思いをありのままに述べること。人を良く評価する場合にも使える。

用例 ● 彼女の**歯に衣着せぬ**物言いは、なかなか鋭いと評判です。／**歯に衣着せぬ**意見で、人が傷つくこともあります。

反対 ● 奥歯に物が挟まる／奥歯に衣着せる

百《ひゃく》聞《ぶん》は一《いっ》見《けん》に如《し》かず

出典：『漢書(かんじょ)』

百度にわたって人に聞くより、たとえ一度でも自分の目で見たほうが確かな情報が得られるということ。自分の目で現場を見ることの大切さを表す言葉。

用例 ● **百聞は一見に如かず**です。どうか店頭で、商品を手にとってご確認ください。

類語 ● 聞いた百より見た一つ／千聞一見に如かず／論より証拠

火《ひ》を見《み》るよりも明《あき》らか

出典：『書経(しょきょう)』

道理が非常に明白で、疑わしいところがまったくないこと。明々と燃えて目立つ火よりも、物事がさらにはっきりとしていることをいう。

用例 ● 毎日勉強もせず怠けてばかりいれば、成績が下がるのは**火を見るよりも明らか**です。

類語 ● 自明《じめい》の理《り》

目《め》は口《くち》程《ほど》に物《もの》を言《い》う

出典：『柳樽拾遺(やなぎだるしゅうい)』

何も言わなくても、目の動きや表情によって、言いたいことが伝わること。また、言葉でごまかしたとしても、目を見れば真実がわかってしまうということ。

用例 ● **目は口程に物を言う**といいます。あなたが上手に嘘をついたつもりでも、目を見ればわかりますよ。

類語 ● 目は心の窓／目は心の鏡

論《ろん》より証《しょう》拠《こ》

出典：『神霊矢口渡(しんれいやぐちのわたし)』

物事の是非を明らかにするためには、議論を重ねたり、理屈を並べたりするよりも、証拠を示したほうが早いということ。

用例 ●いろいろと説明させていただきましたが、**論より証拠**、これを見ていただければ結論は明らかだと思います。

類語 ●論は後、証拠は先

出典解説【日本の作品】

● 譬喩尽（たとえづくし）

関連ページ→36、38、87、133、146、221、242

江戸時代のことわざ・慣用句辞典。松葉軒《しょうようけん》東井《とうせい》編。1787年成立。ことわざ、慣用句を集めたものとしては江戸期最大を誇る。京都の風俗にも多くの言及が見られ、資料的価値も高い。

● 平家物語（へいけものがたり）

関連ページ→12、33、96、221

軍記物語。作者不明。原本は鎌倉中期頃までに成立か。平清盛《たいらのきよもり》の全盛から平家一族の衰退までを、盛者必衰の仏教的世界観に基づき、和漢混交文で描く。「祇園精舎の鐘の声…」という琵《び》琶《わ》法師の語りは特によく知られ、『太《たい》平《へい》記《き》』をはじめ、後世の中世・近世の文学、芸能に多大な影響をもたらした。

不安／疑い

暗《あん》雲《うん》低《てい》迷《めい》

空に黒雲が低くたれ込め、今にも雨が降りそうなようす。転じて、危機が間近に迫り、よくないことが起こりそうな状況をいう。

用例 ●株価が暴落し、世の中は**暗雲低迷**の様相を呈しています。／会社の前途は**暗雲低迷**にして、厳しい事態を迎えていました。

嵐《あらし》の前《まえ》の静《しず》けさ

暴風雨が襲う前の、ひとときの平穏。転じて、もう間もなく大事件や大騒動が持ち上がることを予感させるような、不気味なほどの静けさをいう。

用例 ● 10年前の大事件が起こった前日の晩は、とても静かに時が過ぎていきました。でも今思えば、それは**嵐の前の静けさ**だったのです。

類語 ●嵐の後

一《いっ》寸《すん》先《さき》は闇《やみ》

出典：『東海道名所記(とうかいどうめいしょき)』

人生は、暗闇の中のように、すぐ先のことでも何が起こるかわからないということ。思いがけず不運に見舞われたときや、油断をいましめるときに用いる。

用例 ●**一寸先は闇**といいますが、こんなに不景気が続いては自分の会社が明日どうなっているのか知れたものではありません。

類語 ●面前《めんぜん》に三尺《さんじゃく》の闇あり

鬼《おに》が出《で》るか蛇《じゃ》が出《で》るか

前途にどんな困難や恐ろしいことが待ち受けているか、わからない状態のこと。人の好奇心や興味をあおるときにも用いる。

用例 ●ここから先は未知の領域です。**鬼が出るか蛇が出るか**、全く見当がつきません。

類語 ●鬼が住むか蛇が住むか

鼎《かなえ》の軽《けい》重《ちょう》を問《と》う

出典：『春秋左氏伝(しゅんじゅうさしでん)』

統治者や権威者の実力や能力を疑い、あわよくばとって代わろうという下心を見せること。また、相手の実力・能力をはかる意で使うこともある。

用例 ●現職の町長に対しては、**鼎の軽重を問う**必要があるのではないでしょうか。

類語 ●相手の貫《かん》目《め》を量る

壁《かべ》に耳《みみ》

出典：『源平盛衰記(げんぺいじょうすいき)』

秘密にしたいことは、どこで誰の耳に入っているかわからないということ。また、秘密を保持したいなら十分に注意しなさいという、いましめ。

用例 ●**壁に耳**といいますから、今日お話しした内容はくれぐれも秘密厳守でお願いします。

類語 ●壁に耳あり障子に目あり／垣根に耳あり

※物事を慎重に行うことを促す場合に使える。

疑《ぎ》心《しん》暗《あん》鬼《き》

出典：『沖虚至徳真経鬳斎口義(ちゅうきょしとくしんけいけんさいくぎ)』

疑いの気持ちから、何でもないことまで不安になったり、恐ろしく感じたりして、疑念が増幅すること。暗闇で恐怖のあまり、鬼がいると思ってしまうことから。

用例●心底信じていた兄から裏切られ、**疑心暗鬼**に陥ってしまいました。

類語●幽霊の正体見たり枯《かれ》尾《お》花《ばな》

前《ぜん》途《と》多《た》難《なん》

将来、非常に多くの困難があると予想されること。これからの苦労を心配するときや、人を励ましたり、労をねぎらったりするときに用いる。

用例●この企画は担当者が素人ばかりなので、**前途多難**です。

類語●前途遼遠《りょうえん》

反対●前途洋洋／前途有望

内《ない》憂《ゆう》外《がい》患《かん》

出典：『春秋左氏伝(しゅんじゅうさしでん)』

国や組織の内部ではさまざまな心配事が生じ、国外や組織の外部で次々とわずらわしい事態が起こり、内外に心配や悩み、苦しみの種が尽きないこと。

用例●経済不況に疫病、戦争。わが国はまさに**内憂外患**に憂いています。

※ビジネスでも使える。

梨《なし》の礫《つぶて》

出典：『東山殿劇場段幕（ひがしやまどのかぶきのだんまく）』

こちらから何度連絡しても全く音沙汰のないこと。「梨」は「無し」の語呂合わせ。相手の消息を案じているときや、音信不通に不満を感じている場合に用いる。

用例●彼に何回か連絡してみたものの、**梨の礫**でした。

類語●行ったきりの鉄砲玉

二《に》の足《あし》を踏《ふ》む

出典：『吉野都女楠（よしののみやこおんなくすのき）』

心に迷いがあって、躊躇（ちゅうちょ）すること。何かの要因によって、途中でためらったり、尻込みしたりすることをいう。

用例●相手の親が結婚に反対しており、このまま付き合っていてもいいものかどうか、**二の足を踏む**心境です。／商品には**二の足を踏む**ような価格が付いていました。

人《ひと》を見《み》たら泥棒《どろぼう》と思《おも》え

出典：『階子乗出初晴業（はしごのりでぞめのはれわざ）』

世の中には腹黒い人も多く、他人を信用してだまされる例も多い。他人には用心するにこしたことはないという教え。

用例●世の中にはいろいろな人がいるから、**人を見たら泥棒と思え**といった視点も必要です。

類語●人を見たら鬼と思え／火を見たら火事と思え

反対●渡る世間に鬼はない／七度尋ねて人を疑え

火《ひ》の無《な》い所《ところ》に煙《けむり》は立《た》たぬ

煙が立つところに火種があるように、噂にもそれなりの根拠が必ずあるということ。また、結果の背後には必ずその原因が存在しているということ。

用例 ● 汚職の噂はあながち作り話とはいえません。**火の無い所に煙は立たぬ**といいますから。

類語 ● 煙あれば火あり／飲まぬ酒には酔わぬ

反対 ● 飲まぬ酒に酔う／根が無くても花は咲く

眉《まゆ》に唾《つば》を付《つ》ける

出典：『狸言集覧(りげんしゅうらん)』

だまされないように用心すること。キツネやタヌキに化かされないためには、眉に唾を付けるとよいという、かつての俗信から。

用例 ● あの商談は、話がうますぎます。**眉に唾を付ける**べきではないでしょうか。

類語 ● 眉唾もの／睫《まつげ》を濡《ぬ》らす

幽《ゆう》霊《れい》の正《しょう》体《たい》見《み》たり枯《かれ》尾《お》花《ばな》

出典：横井也有(よこいやゆう)の俳句

恐怖心が高まると、枯れススキのようなものまで恐ろしい幽霊に見誤るということ。また、恐がっていた対象が、実はたいした物ではなかったということ。

用例 ● 怪しい物音の正体は、看板が風に揺れる音でした。**幽霊の正体見たり枯尾花**だったのです。

類語 ● 疑《ぎ》心《しん》暗《あん》鬼《き》

後《あと》へも先《さき》へも行《い》かぬ

出典：『春色梅児誉美(しゅんしょくうめごよみ)』

事態が行き詰まって前進も後退もできず、どうしようもない状況に陥ること。物事が思い通りにいかず、身動きが取れなくなることをいう。

用例 ● 休暇の予定が立たず、海外旅行の計画が**後へも先へも行かぬ**状況になってしまいました。

類語 ● にっちもさっちもいかない／進退これ谷《きわ》まる／進退窮《きわ》まる／万事休《ばんじきゅう》す

危《あぶ》ない橋《はし》を渡《わた》る

出典：『月梅薫朧夜(つきとうめかをるおぼろよ)』

今にも落ちそうな橋を渡るように、危険な手段や方法を取ること。多くは、法律すれすれの行為や違法なことを、あえて行うことを指す。

用例 ● 法律で定められている手続きを怠るような、**危ない橋を渡る**行為はやめるべきです。

類語 ● 危ない橋も一度は渡れ／剣《つるぎ》の刃を渡る

反対 ● 石橋を叩いて渡る

一《いち》か八《ばち》か

出典：『菅原伝授手習鑑(すがわらでんじゅてならいかがみ)』

結果は予想できないが、運を天にまかせ、思い切って勝負に出ること。「一」と「八」という数字は、賭博(とばく)の「丁半」という漢字の上部を取ったとされる。

用例 ● **一か八か**、この企画に賭けてみましょう。

類語 ● 乾坤一擲《けんこんいってき》／伸《の》るか反《そ》るか

反対 ● 石橋を叩いて渡る

一《いち》難《なん》去《さ》ってまた一《いち》難《なん》

ようやく災難を逃れて安堵していたところへ、また別の災難が降りかかってくること。災難や悪いことがたて続けに起こって苦労することをいう。

用例●骨折がやっと治ったと思ったら、**一難去ってまた一難**、今度は捻挫してしまいました。

類語●虎口《ここう》を逃れて龍穴《りゅうけつ》に入《い》る／前門の虎後門の狼

溺《おぼ》れる者《もの》は藁《わら》をも掴《つか》む

出典：英語のことわざ“A drowning man will catch at a straw.”

困りきっている人が相手や手段を選ばず、何かに頼ろうとすること。困難に直面したときの人間の弱さやもろさを否定的に表す言葉。

用例●**溺れる者は藁をも掴む**ような気持ちで、手当りしだいに、みんなに電話をかけ、協力をお願いしました。

類語●藁《わら》にも縋《すが》る

火《か》中《ちゅう》の栗《くり》を拾《ひろ》う

出典：『イソップ物語』

危険なことに手を出して、災いを招くこと。転じて、人の利益のためにあえて困難なことをしたり、危険を冒すことをいう。

用例●知人の悩みごとに深入りして、**火中の栗を拾う**ことになってしまいました。

類語●手を出して火傷する

窮《きゅう》鼠《そ》猫《ねこ》を噛む《かむ》

出典：『塩鉄論(えんてつろん)』

弱い者が強い者に追い詰められると、反撃することがあるというたとえ。また、どんなに弱い者でも強い相手を倒すことがあるということ。

用例 ● 最下位だった私たちのチームは、**窮鼠猫を噛む**の気持ちでトップのチームにいどんで、勝利をもぎ取りました。

類語 ● 鼬《いたち》の最後っ屁／窮寇《きゅうこう》は迫ること勿《な》かれ

三《さん》十《じゅう》六《ろっ》計《けい》逃《に》げるに如《し》かず

戦況が不利なときは、逃げるのが最良の戦略だということ。転じて、日常生活でも、状況が不利なときは逃げるのが一番よいということ。

用例 ● **三十六計逃げるに如かず**といいますし、売上げの状況が先行き不透明な業種からは撤退することも必要です。

類語 ● 逃げるが勝ち／三十六計走るを上計となす

四《し》面《めん》楚《そ》歌《か》

出典：『史記(しき)』

周囲がすべて敵という状況。助けてくれる味方は全くおらず、孤立が極まっている状況をいう。楚の項羽が漢の軍に囲まれたときの故事から。

用例 ● 彼は自分の意見にこだわり過ぎて、**四面楚歌**の状態になってしまいました。

類語 ● 孤立無援《こりつむえん》

進《しん》退《たい》これ谷《きわ》まる

出典：『詩経(しきょう)』

非常に困難な状態に追い込まれ、どうにも事態を打開できないこと。進むことも退くこともできない難しい状況を指す。「谷まる」は「窮まる」と同じ。

用例●商談の条件が悪いほうへ変化し、**進退これ谷まる**事態に追い込まれました。

類語●進退窮《きわ》まる／後へも先へも行かぬ／にっちもさっちもいかない／万《ばん》事《じ》休《きゅう》す

背《せ》に腹《はら》は代《か》えられぬ

出典：『花子(はなご)』

体の中で最も大切な腹は背中と交換できず、背中が犠牲になるのもやむを得ないように、大切なことのためほかのことが犠牲になるのもしかたがないということ。

用例●健康維持のため、**背に腹は代えられぬ**という心境で、たばこをやめました。

類語●苦しい時は鼻をも削《そ》ぐ／小を捨てて大に就く

俎《そ》上《じょう》の魚《うお》

出典：『史記(しき)』

まな板の上でこれから料理される魚のように、相手の思い通りになるしかない状況のこと。また、じたばたせずに、これから起こることを静かに待つ状態を表す。

用例●手はつくしました。審査の結果が出るまではもはやできることはありません。今はまさに**俎上の魚**というところでしょうか。

類語●俎板《まないた》の上の鯉《こい》

立《た》っている者《もの》は親《おや》でも使《つか》え

急ぐ用であれば、たとえ親であっても、近くに立っている人に用を頼むべきだということ。相手が目上でも遠慮せず、緊急時には助けを頼みなさいという教え。

用例 ● **立っている者は親でも使え**といいます。困ったときは上司でも先輩でも遠慮せず、援助を求めなさい。

反対 ● 立ち仏《ぼとけ》が居仏《いぼとけ》を使う

手《て》に汗《あせ》を握《にぎ》る

危険なこと、緊迫したことを前にして、はらはらしているようす。多くは、勝負事や物語の展開が目の離せない展開であることを表す。

用例 ● 国境を無事通過できるかどうか、われわれはトラックの中で**手に汗を握る**心境でじっと耐えていました。

類語 ● 固唾《かたず》を呑む／息を呑む

虎《とら》の尾《お》を踏《ふ》む

出典：『易経(えききょう)』

これ以上ないような、大きな危険を冒すこと。凶暴な虎のしっぽを踏む行為は、かみ殺される危険を伴うことから。

用例 ● 成功したいからといって、**虎の尾を踏む**必要はありません。

類語 ● 虎の口へ手を入れる／虎の鬚《ひげ》を拈《ひね》る／薄氷を踏《ふ》む（が如《ごと》し）

飛《と》んで火《ひ》に入《い》る夏《なつ》の虫《むし》

出典：『神霊矢口渡(しんれいやぐちのわたし)』

自分から進んで危険な状況に飛び込み、身を滅ぼしたり、被害に遭ったりすること。そのような行為の愚かさをいましめたり、ばかにしたりするときに用いる。

用例●大金をポケットに入れて雑踏を歩く人は、犯罪者にとっては、**飛んで火に入る夏の虫**に見えることでしょう。

類語●飛蛾《ひが》の火に入《い》るがごとし／愚人は夏の虫

猫《ねこ》の手《て》も借《か》りたい

出典：『関八州繋馬(かんはっしゅうつなぎうま)』

目が回るほどの忙しさで、人手が足らないようす。役に立たないとわかっている猫にさえ、手助けして欲しいと思ってしまうことから。

用例●おかげさまで店は繁盛しており、**猫の手も借りたい**ほどの忙しさです。

類語●猫の手も人の手／犬の手も人の手にしたい

年《ねん》貢《ぐ》の納《おさ》め時《どき》

悪事を続けた者がつかまり、罰を受けなければならなくなること。また、悪事に限らず、長い間してきたことに見切りをつけ、再出発するときにも用いる。

用例●遅刻の多い彼は、休職処分になりました。今度ばかりは**年貢の納め時**のようです。／わが社も今期こそは**年貢の納め時**です。赤字体質からの脱却を図りましょう。

背《はい》水《すい》の陣《じん》

出典：『史記(しき)』

一歩も後退できない状態で、必死の覚悟でことにあたること。川や湖沼など、水辺を背にして前方から敵を迎え撃つ陣形を表す言葉から。

用例 ● わがチームは、予選であと一敗すると本大会に出場できなくなるので、**背水の陣**を敷いて戦いました。

類語 ● 船を沈め釜《かま》を破る／一か八か

薄《はく》氷《ひょう》を踏《ふ》む

出典：『詩経(しきょう)』

薄い氷の上をいつ割れるかと心配しながら歩くように、大きな危険を冒すこと。そのときは危険であったが、無事にその場をしのいだ場合に用いられることが多い。

用例 ● **薄氷を踏む**ような思いで、かろうじてチャンピオンの座を守りました。

類語 ● 虎の尾を踏む／氷に座す／春氷を渡る

八《はっ》方《ぼう》塞《ふさ》がり

出典：『花子(はなご)』

どんな方法もうまくいかず、どうにもならないこと。あらゆる方角が不吉で何も行えないという、陰陽道(おんみょうどう)の言葉から。

用例 ● あらゆる手を尽くしましたが、母の病状は改善せず、**八方塞がり**の状況です。／（ビジネス）会社の経営は**八方塞がり**で、倒産はまぬがれないと思われます。

波《は》瀾《らん》万《ばん》丈《じょう》

出典：『史記(しき)』

物事や事件の経過、人生などがめまぐるしく変転し、浮き沈みが非常に激しいこと。また、そのようなようすをいう。

用例 ● 彼女のこれまでの人生はまさに**波瀾万丈**、冒険小説を地でいくようなものでありました。

万《ばん》事《じ》休《きゅう》す

出典：『宋史(そうし)』

もはやどうしようもなく、すべてが終わりだということ。打つ手がなく、万人が「もうだめだ」と感じるような状況をたとえる。「窮す」と書くのは誤り。

用例 ● 私の進級の望みは絶たれ、**万事休す**の状態になってしまいました。

類語 ● 進退これ谷《きわ》まる／進退窮《きわ》まる／後へも先へも行かぬ／にっちもさっちもいかない

風《ふう》前《ぜん》の灯《ともし》火《び》

出典：『韓人漢文手管始(かんじんかんもんてくだのはじまり)』

風を受けて消えそうな灯火のように、生命がはかないことのたとえ。また、大きな危険や困難に遭い、人や動物、物事が滅亡の危機を迎えているようす。

用例 ● 計画は多くの妨害を受け、いまや**風前の灯火**です。

類語 ● 風の前の塵《ちり》／朝日の前の霜

弁《べん》慶《けい》の立《た》ち往《おう》生《じょう》

出典：『浮世風呂（うきよぶろ）』

進むことも退くこともできず、どうにもならないことのたとえ。弁慶が主君の義経をかばい、橋の中央に立ったまま矢を受け、死んだという故事から。

用例 ●為替相場の急変を受け、わが社の海外事業は、**弁慶の立ち往生**となってしまいました。

出典解説【中国の作品】

● 礼記（らいき）

関連ページ →65、162、234、263、271

古代の礼儀に関する解説書。周末から秦漢の儒者の諸説を集め、冠婚葬祭、官爵・身分制度、学問などの規範とそれらを貫く精神を著した。後に、前漢（BC202～AD8年）の戴《たい》聖《せい》が49編に再編。儒教の基本的経典「五経」の一つ。

● 後漢書（ごかんじょ）

関連ページ →18、20、130、217、265、266、270、273

後漢（25～220年）の歴史書。120巻。本紀・列伝は南朝の宋の范曄《はんよう》、志《し》は晋《しん》の司馬彪《しばひょう》の選。『東夷伝《とういでん》』に倭奴国王《わのなのこくおう》が金印を授かったという記述があり、日本と中国の交流史を知る上でも貴重な資料となっている。

痛《いた》くもない腹《はら》を探《さぐ》られる

出典：『好色一代女（こうしょくいちだいおんな）』

やましいところがないのに疑われ、心外なようす。人から疑いをかけられ、迷惑をこうむっている場合に用いることが多い。

用例 ●泥棒に間違われて、**痛くもない腹を探られる**のは、気分が悪いものです。

類語 ●食わぬ腹を探られる

後《うし》ろ髪《がみ》を引《ひ》かれる

出典：『通盛（みちもり）』

後ろ髪を引っ張られるかのように、未練が残ってあきらめきれないこと。心配や思慕など強い情にとらわれて、きっぱりと思い切れないようす。

用例 ●**後ろ髪を引かれる**思いで、故郷をあとにしました。／今回は商品の購入を見送りましたが、**後ろ髪を引かれる**ようで誠に残念です。

お鉢《はち》が回《まわ》る

出典：『浮世床（うきよどこ）』

順番が回ってくること。もともとは喜ばしい意味で使われていたが、現在は嫌な役回りがめぐってくる意味で使われることが多い。

用例 ●運動会への参加はやぶさかでありませんが、苦手な種目で自分に**お鉢が回る**のだけはごめんです。

※幸運を表す場合にも使える。

悲《かな》しいときは身《み》一《ひと》つ

困ったり、落ちぶれたりといった、辛い境遇に陥ったときは、ほかの誰も頼りにならず、自分だけが頼りであるということ。

用例 ●**悲しいときは身一つ**というように、悩みが深いときは孤独になりがちなものです。

類語 ●落ちぶれると誰も寄りつかぬ

辛《しん》酸《さん》を嘗《な》める

辛い経験をしたり、苦労すること。「辛」はからいもの、「酸」はすっぱいもので、それらをなめることにたとえている。

用例 ●彼女は若くして両親を亡くし、**辛酸を嘗める**日々を送ってきました。／業績不良の子会社への転籍を命じられた彼には、**辛酸を嘗める**境遇が待ち受けていました。

心に残る 名言・金言

不可能は小心者の幻影であり、
卑怯者の逃避所である。

ナポレオン［1769～1821 フランスの皇帝］

人は困難に直面すると、多く場合あきらめてしまう。しかし、たいていのことはやればできる。朝礼や仕事始めにこの言葉を引用し、不可能を可能に変える努力を促したいものだ。

泣《な》き面《つら》に蜂《はち》

出典：『黄門記童幼講釈(こうもんきおさなこうしゃく)』

不幸や不運が重なって起こること。ハチが泣いている人の顔を刺し、さらに泣かせることにたとえた言葉。

用例●仕事でミスをした上に、同僚ともけんかしてしまい、**泣き面に蜂**の状態です。

類語●弱り目に祟《たた》り目／踏んだり蹴ったり

※切迫した状況を表す場合にも使える。

逃《に》がした魚《さかな》は大《おお》きい

出典：英語のことわざ "It was always the biggest fish I caught that got away."

釣りそこねた魚を実際よりも大きく思いがちであるように、もう少しのところで手に入らなかったものを、実際よりもすばらしいと思ってしまうこと。

用例●ちょっとした見積もりの違いで、仕事を他社に取られてしまいました。まったく**逃がした魚は大きい**とはこのことです。

類語●死んだ子は賢い／釣り落とした魚は大きい

盗《ぬす》人《びと》に追《お》い銭《せん》

出典：『古朽木(こくちき)』

二重、三重に損をすること。泥棒に入られた上に足代まで取られることから。損害が生じた状況をくやんだり、お人よしをいましめたりするときに用いる。

用例●道楽息子に車を買い与えた上に、事故を起こして修理代まで支払ったのは、今思えば**盗人に追い銭**だったと後悔しています。

類語●泥棒に追い銭／盗人に追いを打つ

弱《よわ》り目《め》に祟《たた》り目《め》

弱っているときに、神仏のたたりを受けること。転じて、困っている人がさらに不運や災難に見舞われることをいう。

用例 ●自動車事故に遭った直後、母が病に倒れてしまいました。まったく、**弱り目に祟り目**です。

類語 ●落ち目に祟り目／泣き面《つら》に蜂／踏んだり蹴ったり

間違えやすい ことわざの解釈

誤用例：

後ろ髪を引かれ、別れを思いとどまる。

関連ページ → 118

「後ろ髪を引かれる」とは、去っていく人の心残りを表す言葉であり、去らずにいる場合に使用するのは誤り。「別れ際、後ろ髪を引かれる思いだった」とするなら適切である。

誤用例：

乗り掛かった船だが、中止を決断した。

関連ページ → 24

いったん船に乗ったら、途中で降りられないように、手をつけたからには最後まで止められないことを「乗り掛かった船」という。物事を最後までやめないときにだけ使えることわざである。

怒り

悪《あっ》口《こう》雑《ぞう》言《ごん》

口にまかせて、さまざまな悪口を言うこと。口汚く、さんざんにののしるようす。「雑言」はさまざまな悪口の意。

用例●議論から脱線して、最後には言い争いになり**悪口雑言**の応酬になってしまいました。

類語●悪口罵《ば》詈《り》／罵《ば》詈《り》雑言

可《か》愛《わい》さ余《あま》って憎《にく》さが百《ひゃく》倍《ばい》

かわいいと思っていただけに、何かのきっかけで憎しみが生まれると、その憎しみが倍増すること。人の情の不思議さを表す言葉。

用例●愛犬にかまれて、**可愛さ余って憎さが百倍**です。

類語●愛憎は背中合せ／好いたほど厭《あ》いた／愛憎は紙一重

堪《かん》忍《にん》袋《ぶくろ》の緒《お》が切《き》れる

出典：『譬喩尽(たとえづくし)』

こみ上げてくる怒りを抑えきれなくなり、怒りが爆発すること。がまんにがまんを重ねた人が、ついに怒りの感情をあらわにするさまを表す。

用例●夫の無断外泊が続き、ついに妻の**堪忍袋の緒が切れる**事態となってしまいました。

類語●怒り心頭に発す／こらえ袋の緒を切る／堪忍庫《ぐち》の戸が開く

犬《けん》猿《えん》の仲《なか》

出典：『堀川狂歌集(ほりかわきょうかしゅう)』

ひどく仲が悪く、何かにつけていがみあうような間柄であるたとえ。犬と猿は仲が悪いものの代名詞であることから。

用例 ● 彼女とは長い間**犬猿の仲**です。今さら和解できようはずもありません。

類語 ● 犬《いぬ》と猿《さる》／犬猿もただならず

※人間関係を表す場合に使える。

火《ひ》に油《あぶら》を注《そそ》ぐ

燃えさかっている火に油をかけるように、勢いのあるものをますます勢いづかせること。多くは、人の怒りをさらにあおることをいう。

用例 ● 憤慨している人をなだめようとして、かえって**火に油を注ぐ**結果になりました。

類語 ● 駆《か》け馬に鞭《むち》／火上《かじょう》油を加《くわ》う／帆掛け船に櫓《ろ》を押す

坊《ぼう》主《ず》憎《にく》けりゃ袈《け》裟《さ》まで憎《にく》い

出典：『北条時頼記(ほうじょうじらいき)』

あまりにも人を憎むと、その人にかかわりのあるすべてのものが憎く感じられるということ。人を憎む感情をユーモアや皮肉を込めつつ表す言葉。

用例 ● 夫婦げんか中は**坊主憎けりゃ袈裟まで憎い**ですから、夫の下着も洗濯したくありません。

類語 ● 親が憎ければ子まで憎い

反対 ● 愛屋烏《おくう》に及ぶ

仏《ほとけ》の顔《かお》も三《さん》度《ど》

どんなに仏のように温和な人でも、度重なる迷惑や無礼には怒り出すということ。仏ですら、顔も3回もなでつけられれば腹を立てるということから。

用例 ● **仏の顔も三度**といいます。今度彼に迷惑をかけたら、許してはくれないでしょう。

類語 ● 無理は三度／地蔵の顔も三度

目《め》には目《め》歯《は》には歯《は》

出典：『旧約聖書(きゅうやくせいしょ)』

やられたら同じようにやり返せということ。目をつぶされたら相手の目をつぶし、歯を折られたら相手の歯を折るということから。

用例 ● **目には目歯には歯**の応酬で、いさかいの収拾がなかなかつきません。

反対 ● 怨《うら》みに報《むく》いるに徳を以《もっ》てす

出典解説【中国の作品】

● **易経**（えききょう）

関連ページ →8、86、113、181、243、246、251、270

儒教の基本経典の一つ。周代（BC11世紀頃～BC771年）に発達した占いである「周易」が、儒家の手で理論化され哲学書となった。万物は陰陽の変化によるもので、人間もその法則のもとにあるという思想に基づく。

暗《あん》中《ちゅう》模《も》索《さく》

出典：『隋唐嘉話（ずいとうかわ）』

暗闇の中で手探りで物を探すように、手がかりのない状態であれこれと考え、探し求めること。また、試しにいろいろとやってみること。

用例 ● 問題解決の決め手がなく、**暗中模索**の状態です。／新しい企画は、まだ**暗中模索**の段階です。

痛《いた》し痒《かゆ》し

どちらにしても結局は自分に都合が悪くなるため、判断に迷うこと。どちらに転んでも不利益がある状況を表現する言葉。

用例 ● 仕事が忙しいと、商売は儲かるものの家族との時間が減り、暇になると、時間は取れるがお金は入らない。まったく**痛し痒し**です。

類語 ● 彼方《あちら》立てれば此方《こちら》が立たぬ

一《いっ》喜《き》一《いち》憂《ゆう》

状況が良くなると喜び、悪くなると心配するといった具合に、感情の浮き沈みが激しく、落ち着かないようす。

用例 ● 学力が安定せず、テストのたびに**一喜一憂**する状態です。／給与が毎月の売り上げによって決まるので、いつも**一喜一憂**しています。

一《いっ》進《しん》一《いっ》退《たい》

出典：『管子(かんし)』

少し前進したかと思うと、後戻りするといった状態が繰り返されること。病状や何かの情勢が良くなったり、悪くなったりして、なかなか進展しないようす。

用例●祖母の病状は**一進一退**で、予断を許しません。／研究は、**一進一退**の状況が続いています。

※日常生活全般で使える。

小《お》田《だ》原《わら》評《ひょう》定《じょう》

長びくばかりで結論がまとまらない相談のこと。豊臣秀吉(とよとみひでよし)が小田原城を攻めた際、城内では論議の結論が出ないまま落城した故事から。

用例●十時間も会議に付き合わされたのに、結局結論は出ませんでした。全く**小田原評定**もいいところです。

類語●小田原評議

隔《かっ》靴《か》掻《そう》痒《よう》

出典：『無門関(むもんかん)』

物事が思った通りにうまく運ばず、もどかしく思うこと。足のかゆいところを靴の上からかこうとしても、うまくいかないことにたとえている。

用例●予定外のトラブルで事業は停滞しており、**隔靴掻痒**の感にたえません。

類語●二階から目薬／靴を隔ててあなうらを掻く

反対●麻《ま》姑《こ》掻痒／痒い所へ手が届く

閑《かん》古《こ》鳥《どり》が鳴《な》く

出典：『鯨帯博多合三国(くじらおびはかたとみくに)』

訪れる人もなく、ひっそりと寂しいようす。商売がはやらないことや、場所、興行などに人が集まらないことをいう。

用例●オープン時は盛況だった店も、半年経った今は**閑古鳥が鳴く**ありさまです。

類語●門前雀羅《もんぜんじゃくら》を張る

反対●千客万来／門前成市《もんぜんせいし》

恋《こい》は思《し》案《あん》の外《ほか》

出典：『仮名文章娘節用(かなまじりむすめせつよう)』

恋は人の理性を失わせるので、理屈や常識では説明しきれないということ。また、恋する人に理路整然と意見しても意味がないということ。

用例●**恋は思案の外**といいます。熱愛中の彼らに、結婚を思いとどまらせようと説得しても、全く耳をかしません。

類語●恋は盲目《もうもく》

一《ひと》筋《すじ》縄《なわ》ではいかない

出典：『関取千両幟(せきとりせんりょうのぼり)』

通りいっぺんの方法では思い通りにならないような物事や人物であること。敵に回したくないような、しぶとさを持つ人物を相手にする場合などにも用いる。

用例●対戦相手は百戦錬磨のつわものですから、試合運びは**一筋縄ではいかない**でしょう。／荒れた土地を開墾し、作物を育てるのは、**一筋縄ではいかない**仕事です。

臍《ほぞ》を噬《か》む

出典：『春秋左氏伝(しゅんじゅうさしでん)』

くやんでもどうにもならないことを後悔すること。「臍」はへそのことで、自分のへそをかもうと思ってもできないことから。

用例 ●取り返しのつかない失敗をしてしまいました。全く私としても**臍を噬む**思いです。

※失敗を表す場合にも使える。

心に残る　名言・金言

悲しみのための唯一の治療は、
何かをすることだ。

G・H・ルイス［1817～78 イギリスの哲学者］

悲しみをいやすには、何かをして気分転換をするのが一番よい。悲しんでいる人に「悲しむな」と求めるのは土台無理な話であるので、この言葉を引用して励ましとしたい。

苦悩を突き抜けて
歓喜にいたれ。

ベートーベン［1770～1827 ドイツの作曲家］

聴覚の不自由にもかかわらず、数多くの名曲を作り上げたベートーベンの生涯は、まさにこの言葉通りだったといえる。入学式、入社式など、若者の門出を祝い、励ます場のスピーチで用いるとよい。

軽《けい》佻《ちょう》浮《ふ》薄《はく》

出典：『堀川狂歌集(ほりかわきょうかしゅう)』

心が浮つき、落ち着きがなく、しっかりとしていないこと。考えの浅はかさや軽はずみな言動を批判したり、いましめるときに用いる。

用例 ●お見合いの席での彼の態度は、**軽佻浮薄**と思われてもしかたがありません。

類語 ●軽佻浮《ふ》華《か》／短慮軽率《たんりょけいそつ》

※人を悪く評価する場合にも使える。

旅《たび》の恥《はじ》は掻《か》き捨《す》て

出典：『箱根草(はこねぐさ)』

旅先で、普段しないような恥ずかしいことや無責任なふるまいを平気で行うこと。旅行中の軽率な行動を批判したり、いましめる場合にも使う。

用例 ●旅行中は、ついはめを外しがちですが、**旅の恥は掻き捨て**もほどほどにしましょう。

類語 ●旅の恥は弁慶状

※人を悪く評価する場合にも使える。

羊《よう》頭《とう》を懸《か》けて狗《く》肉《にく》を売《う》る

出典：『無門関(むもんかん)』

看板に羊の頭を掲げているのに、実際は「狗」すなわち犬の肉を売るように、見せかけは立派だが、内容が粗末であるということ。

用例 ●高価な服で着飾っている彼ですが、実際には常識のない、**羊頭を懸けて狗肉を売る**ような人物です。

類語 ●玉を衒《てら》いて石を売る

あいまい／中途半端

曖《あい》昧《まい》模《も》糊《こ》

出典：『後漢書(ごかんじょ)』

物事の本質や実態がぼんやりしていて、不明瞭なようす。人の知りたいと思うことが漠然としていて、はっきりしないこと。

用例 ● 事件の核心は、依然として**曖昧模糊**といった感があります。／彼女の釈明は、**曖昧模糊**とした印象を受けました。

奥《おく》歯《ば》に衣《きぬ》着《き》せる

思っていることを相手にはっきりといわず、さも何か思っていることがありそうな、思わせぶりないい方をすること。

用例 ● **奥歯に衣着せる**ようないい方をせず、はっきり意見をいってください。

類語 ● 奥歯に物が挟まる

反対 ● 歯に衣着せぬ

帯《おび》に短《みじか》し襷《たすき》に長《なが》し

何をするにも中途半端で役に立たないこと。布が帯には短すぎ、襷には長すぎて使い道がないことにたとえている。

用例 ● 通勤用にはもったいないし、礼装にはぱっとしない洋服。**帯に短し襷に長し**です。

類語 ● 褌《ふんどし》には短し手拭《てぬぐい》には長し／次郎にも太郎にも足りぬ

木《き》に竹《たけ》を接《つ》ぐ

出典：『和国小性気質（わこくこしょうかたぎ）』

木に竹をつぎ木できないことから、調和や釣り合いが取れないことや、不自然で筋が通らないことをいう。「木に竹」ということもある。

用例 ● 彼女から受けた説明は**木に竹を接いだ**ようで、どうも釈然としませんでした。

類語 ● 竹に接ぎ木

旧《きゅう》態《たい》依《い》然《ぜん》

出典：『助六廓夜桜（すけろくくるわのよざくら）』

状態や体制が昔のままで、変化や進歩が少しもないこと。古い体質を変えようとしない姿勢を批判するときなどに用いる。

用例 ● わが社の**旧態依然**とした体質を変えなければ、存続の望みはありません。

反対 ● 日《にっ》進《しん》月《げっ》歩《ぽ》

※人を悪く評価する場合にも使える。

群《ぐん》盲《もう》象《ぞう》を評《ひょう》す

出典：『六度経（ろくどきょう）』

凡人が物事を批評してみても、一部分だけの批評にとどまってしまい、全体を見渡すことができないということ。

用例 ● 美術に興味がない私が絵画の批評をしても、**群盲象を評す**ことになってしまいそうです。

類語 ● 群盲象を模《も》す

五《ご》里《り》霧《む》中《ちゅう》

出典：『後漢書(ごかんじょ)』

前後の事情がわからなかったり、物事の手がかりがつかめなかったりして、方針や見込みが立たないようす。状況判断や決断が難しいありさまを表す。

用例 ●転職後の最初の一年間は、何をしたらよいか**五里夢中**といった状態でした。／どうしたらヒット商品を生み出せるのか、企画担当者は**五里霧中**のアイデア不足に悩みました。

過《す》ぎたるは猶《なお》及《およ》ばざるがごとし

出典：『論語(ろんご)』

物事には適切な度合いというものがあり、度を過ぎれば足りないのと同じであるということ。何事もほどよく対処するのが大切であるという教え。

用例 ●**過ぎたるは猶及ばざるがごとし**というように、度を越した指導は感心できません。

類語 ●薬も過ぎれば毒となる／分別《ふんべつ》過ぐれば愚《ぐ》に返る

朝《ちょう》令《れい》暮《ぼ》改《かい》

出典：『漢書(かんじょ)』

朝出した命令が日の暮れるころには変わるように、命令や法律がひんぱんに変更されて定まらず、あてにならないこと。

用例 ●業務上の指示・命令は**朝令暮改**であってはなりません。／この法律に関連した通達は、**朝令暮改**の傾向にあります。

※ビジネスなどでいましめる場合に使える。

二《に》階《かい》から目《め》薬《ぐすり》

出典：『譬喩尽(たとえづくし)』

まわりくどくて効果がないことや、思うように目的が達せられず、もどかしいこと。階下の人に二階から目薬をさそうとしても、思い通りにいかないことから。

用例 ● 根本的な原因を解決せずにあれこれやってみても、**二階から目薬**で効果がありません。

類語 ● 二階から尻あぶる／月夜に背中をあぶる／隔靴掻痒

出典解説【中国の作品】

● 淮南子（えなんじ）

関連ページ → 209、238、265

前漢（BC202～AD8年）の哲学書。高祖の孫で淮南王《わいなんおう》の劉安《りゅうあん》が著した『鴻烈《こうれつ》』のうち現存21巻をいう。政治・天文・地理・兵学・処世について諸子百家の説を広く集め、百科全書的な性格をもつ。また、全体の基調は老子《ろうし》、荘子《そうし》に重きがおかれているものの、儒教・法家の説も取り入れている。

● 漢書（かんじょ）

関連ページ → 24、90、102、130、167、186、256

前漢の歴史書。後漢（25～220年）の班固《はんこ》が著し、妹の班昭《はんしょう》が補作。120巻。漢の高祖から平帝までの12代の歴史を記す。中国の正統な歴史書とされる「正史」の一つであり、また歴史小説としての魅力もある。

煮《に》ても焼《や》いても食《く》えない

出典：『心中刃は氷の朔日（しんじゅうやいばはこうりのついたち）』

どのようにしても手におえず持て余すこと。相手がしたたか者で、どうにも手に負えないこと。

用例 ● 取引先の抱える不良債権は、**煮ても焼いても食えない**ことがわかりました。／彼ほど**煮ても焼いても食えない**人物を知りません。

類語 ● 海千山千《うみせんやません》／一筋縄ではいかぬ

二《に》兎《と》を追《お》う者《もの》は一兎《いっと》をも得《え》ず

出典：『助六廓夜桜（すけろくくるわのよざくら）』

二匹のウサギを同時につかまえようとすると、両方とり逃がす結果に終わる。同様に、あれこれ欲を出しすぎるとどちらも中途半端になり、失敗するということ。

用例 ● **二兎を追う者は一兎をも得ず**にならないよう、学業と仕事のどちらかに重点を置きなさい。

類語 ● 虻蜂《あぶはち》取らず／花も折らず実も取らず

反対 ● 一挙両得《いっきょりょうとく》／一石《いっせき》二鳥《にちょう》

仏《ほとけ》作《つく》って魂《たましい》入《い》れず

出典：『助六廓夜桜（すけろくくるわのよざくら）』

何かを完成したつもりでも、最も大切な部分が欠けていることをいう。仏像を作っても魂を入れなければ役目をなさないことから。

用例 ● 立派な家を建てても、家族関係が悪ければ、**仏作って魂入れず**ではないでしょうか。

類語 ● 画龍点睛《がりょうてんせい》を欠く

反対 ● 画龍点睛《がりょうてんせい》

元気がない

青《あお》菜《な》に塩《しお》

出典：『開巻驚奇侠客伝(かいかんきょうききょうかくでん)』

青菜に塩をふりかけるとしおれてしまうように、元気をなくして、しょげているようす。普段は元気な人が、何かのきっかけで急にうちひしがれるさまをいう。

用例●母親に厳しく叱られた子どもは、**青菜に塩**のようにしょげ返ってしまいました。

類語●蛞蝓《なめくじ》に塩／青菜に煮え湯

鬼《おに》の霍《かく》乱《らん》

出典：『俳諧鷭(はいかいけい)』

強靭なはずの鬼が暑気あたりや日射病にかかるように、普段は大変丈夫で健康そのものの人が、思いがけなく病気になること。

用例●あんなに威勢のよい人が病気になるなんて、**鬼の霍乱**とはこのことです。／無遅刻・無欠席で通していた僕が風邪で学校を休んだときには、**鬼の霍乱**だと噂が立ちました。

蛞《なめ》蝓《くじ》に塩《しお》

すっかり元気をなくすこと。また、苦手なものの前に出て、しょげ返るようす。ナメクジに塩をかけると縮むことにたとえている。

用例●普段、強気の彼も、厳しい恩師の前に出ると、**蛞蝓に塩**のように萎縮してしまいます。

類語●青菜に塩

失敗する／損害を受ける

頭《あたま》隠《かく》して尻《しり》隠《かく》さず

出典：『燕居雑話(えんきょざつわ)』

欠点や都合の悪いこと、悪事などを一部だけ隠して全体を隠したつもりになっていること。意に反して、真相が最初から見破られている場合に用いる。

用例 ●隠していたつもりでも彼の怠慢はすっかり上司にばれていました。**頭隠して尻隠さず**ですね。

類語 ●柿を盗んで核《さね》を隠さず

画《が》餅《べい》に帰《き》す

出典：『三国志(さんごくし)』

絵に描いた餅が食べられないように、実際には役に立たなくなること。多くは、計画が実行に移されなかったり、中止になったりして、無駄になることをいう。

用例 ●景気の悪化で、開発計画は**画餅に帰す**ことになりました。

類語 ●絵に描いた餅に終わる

自《じ》縄《じょう》自《じ》縛《ばく》

出典：『心中刃は氷の朔日(しんじゅうやいばはこうりのついたち)』

自分の縄で自分を縛りつけるように、自らの発言や行動で身動きが取れなくなり、かえって苦しい立場に追い込まれること。

用例 ●失敗を取りつくろうとして、**自縄自縛**に陥ってしまいました。

類語 ●自《じ》業《ごう》自《じ》得《とく》

天《てん》に唾《つば》す

出典：『四十二章経(しじゅうにしょうぎょう)』

人に危害や損害を与えようとして、それによって逆に自分がひどいめに遭うことをいう。天を仰いで唾を吐くと、自分の顔に落ちてくることから。

用例 ●彼女は恩師を陥れようとして失脚しました。**天に唾す**とはこのことです。

類語 ●天を仰いで唾す／人を呪わば穴二つ

二《に》の舞《まい》を演《えん》ずる

出典：『栄華物語(えいがものがたり)』

人の真似をすること。特に、人と同じ失敗をすること。また、先人がした失敗の教訓を生かせず、自分も同じような失敗を繰り返してしまうこと。

用例 ●失脚した前任者の**二の舞を演ずる**ことがないよう、気を引き締めなければなりません。／酒酔い運転で罰金を払った彼の**二の舞を演ずる**のは、ごめんです。

身《み》から出《で》た錆《さび》

出典：『小傘(こがさ)』

自分の行為の報いとして不幸や災いに遭い、苦しむこと。悪事の報いを受けた者を皮肉ったり、反面教師としたりするときなどに用いる。

用例 ●彼は借金癖がなおらず、とうとう自己破産してしまいました。**身から出た錆**だといわざるを得ません。

類語 ●自業自得《じごうじとく》／因果応報《いんがおうほう》

驚《きょう》天《てん》動《どう》地《ち》

出典：『李白墓(りはくのはか)』

天を驚かし地を動かすように、世間の人々をあっといわせ、大いに驚かせること。社会全体に衝撃を与え、ゆるがすことで、よい意味にも悪い意味にも用いる。

用例 ● **驚天動地**のニュースは、あっという間に世界をかけめぐりました。／悪質なデマをきっかけに、**驚天動地**の騒動が勃発しました。

類語 ● 憾《かん》天動地／震天動地

青《せい》天《てん》の霹《へき》靂《れき》

出典：『鶏未鳴起作詩(にわとりいまだなかずしておきてしをつくる)』

突発的な大事件や突然の大きな変化で、思いがけず受ける衝撃のこと。自分にとって悪いことや不安になるようなできごとに対して用いることが多い。

用例 ● 子会社への出向の話は、私にとってはまさに**青天の霹靂**でした。

類語 ● 寝《ね》耳《みみ》に水／藪《やぶ》から棒／足下《あしもと》から鳥が立つ／足下《あしもと》から龍が上がる／足下《あしもと》から雉が立つ

鳩《はと》が豆《まめ》鉄《でっ》砲《ぽう》を食《く》ったよう

豆を弾にしたおもちゃの鉄砲で撃たれたハトのように、突然のことに驚き、目を見張ったり、きょとんとしたりするようす。

用例 ● 彼女の驚きようといったら、**鳩が豆鉄砲を食ったよう**でした。

類語 ● 鳩に豆鉄砲

瓢《ひょう》箪《たん》から駒《こま》が出《で》る

出典：『毛吹草(けふきぐさ)』

普通では考えられないことや、起こるはずのないことが起きること。冗談でいった話が実際に起こってしまったときなどに使う。

用例 ● 最初は単なる噂だと思っていたけど彼が本当に逮捕されてしまうなんて、**瓢箪から駒が出る**とはこのことです。

類語 ● 嘘から出た実《まこと》／灰吹《はいふき》から蛇《じゃ》

藪《やぶ》から棒《ぼう》

出典：『御入部伽羅女(ごにゅうぶきゃらおんな)』

藪の中からいきなり棒が突き出てくるように、人の意表を突いて唐突に起こること。相手が突然思いがけない言動に出たときなどに用いる。

用例 ● **藪から棒**に電話をかけてくるとは、いったいどんなご用ですか。

類語 ● 足下《あしもと》から鳥が立つ／寝耳《ねみみ》に水／青天《せいてん》の霹靂《へきれき》／足下《あしもと》から龍が上がる／足下《あしもと》から雉が立つ

性格・状況を表す

出典解説【中国の作品】

● 韓非子（かんぴし）

関連ページ → 197

戦国時代（BC403～BC221）の諸子百家の一人、韓非《かんぴ》とその一門の著作を集めた書。20巻55編。法と賞罰をもって国を治める法治主義の思想を述べるにあたり、寓話や伝説を豊富に引用している。

馬《うま》の耳《みみ》に念《ねん》仏《ぶつ》

出典：『鶴千歳曽我門松(つるはせんざいそがのかどまつ)』

いくら忠告や意見をいっても、全く効果がないこと。転じて、それがどんなに大切な話であれ、相手が興味を持たない話をしても通用しないということ。

用例●彼女に喫煙の害を訴えましたが、**馬の耳に念仏**でした。

類語●馬の耳に風／馬耳東風《ばじとうふう》／蛙の面《つら》へ水

※人を悪く評価する場合にも使える。

縁《えん》なき衆生《しゅじょう》は度《ど》し難《がた》し

出典：『諸芸袖日記(しょげいそでにっき)』

仏を信じない人に仏法を説いても無駄であるということ。転じて、人の言葉に耳を貸そうとしない人は、救いようがないということ。

用例●親切な忠告にも、彼は耳を傾けようとしません。全く、**縁なき衆生は度し難し**です。

類語●犬に論語／猫に経／猫に小判／豚に真珠

※人を悪く評価する場合にも使える。

屋《おく》上《じょう》屋《おく》を架《か》す

出典：『顔氏家訓(がんしかくん)』

すでにあるものに同じようなものを付け加えること。転じて、重ねて無駄なことをすること。屋根の上にさらに屋根を作っても、無用であることから。

用例●保障内容が重複する保険にいくつも入るなんて、**屋上屋を架す**ようなものです。

類語●屋下に屋を架す／牀上《しょうじょう》に牀を施《ほどこ》す

夏《か》炉《ろ》冬《とう》扇《せん》

出典：『論衡逢遇(ろんこうほうぐう)』

夏の囲炉裏や冬の扇が無用であるのと同様に、時期外れで役に立たないもののたとえ。また、役に立たない才能や言論を表すこともある。

用例 ●彼女の考えは**夏炉冬扇**で、時代錯誤もはなはだしいと思います。

類語 ●六日の菖蒲《あやめ》／十日の菊／寒に帷子《かたびら》土用に布子／無用の長物

暗《くら》がりに鉄《てっ》砲《ぼう》(を)打《う》つ

暗闇で鉄砲を撃つように、前後を顧みず、向こう見ずに行動すること。また、対象となる物事もよく知らないまま、やみくもに行動しても意味のないことをいう。

用例 ●事前に調査もせず、海外市場へ進出するなんて、**暗がりに鉄砲を打つ**ようなものです。

類語 ●闇夜の礫《つぶて》／闇夜に鉄砲

暗《くら》闇《やみ》の頬《ほお》被《かむ》り

不必要な用心のたとえ。暗闇の中で顔を見られないようにほおかむりしても、暗闇では顔を見分けること自体が難しく、意味がないことから。

用例 ●砂漠といってもツアーだから水の用意は十分なはずです。そんなにひとりで水を持っていくなんて、まるで**暗闇の頬被り**ですよ。

類語 ●暗がりの頬被り

豆《とう》腐《ふ》に鎹《かすがい》

何の反応も効果も得られないこと。豆腐に材木をつなぎ止める鎹を打ち込もうとしても、手ごたえがないことから。

用例●頑固な彼にこれ以上はたらきかけても、**豆腐に鎹**ではないでしょうか。
類語●糠《ぬか》に釘／沼に杭《くい》／暖簾《のれん》に腕押し
反対●豆腐も煮れば締まる

糠《ぬか》に釘《くぎ》

出典：『浮世風呂(うきよぶろ)』

効きめがなく、役に立たないことのたとえ。糠に釘を打ち付けても、手ごたえや効果がなく、無意味であることから。

用例●彼女には婚約者がいるそうですから、ラブレターを出したとしても、**糠に釘**でしょう。
類語●豆腐に鎹《かすがい》／沼に杭《くい》／暖簾《のれん》に腕押し

猫《ねこ》に小《こ》判《ばん》

どんなに価値のある物でも、その価値を知らない人にとっては無用であること。人間にとって貴重な小判でも、猫は少しも喜ばないことから。

用例●音楽に関心のない彼に名演奏家のCDを聴かせても、**猫に小判**のようなものです。
類語●豚に真珠／馬の耳に念仏
反対●猫に木天蓼《またたび》お女郎に小判

暖《の》簾《れん》に腕《うで》押《お》し

暖簾を押してみても何の手ごたえもないように、相手の反応が全くないこと。相手のはっきりしない態度をもどかしく思う気持ちも込めて用いる。

用例 ● こちらの要求を受け入れるよう説得しましたが、結局**暖簾に腕押し**でした。

類語 ● 豆腐に鎹《かすがい》／糠《ぬか》に釘／沼に杭《くい》／柳に風

豚《ぶた》に真《しん》珠《じゅ》

出典：『新約聖書』

豚に真珠を与えてもその価値を理解できず、無駄になるのと同様に、価値のわからない人に貴重な物を与えても役に立たず、意味がないこと。

用例 ● 著者のサイン入り初版本も、興味のない人にとっては**豚に真珠**でしかありません。

類語 ● 猫に小判／馬の耳に念仏

反対 ● 猫に木天蓼《またたび》お女郎に小判

無《む》用《よう》の長《ちょう》物《ぶつ》

出典：『老子(ろうし)』

丈が長すぎて、全く役に立たないもの。転じて、あっても何の役にも立たず、むしろ邪魔になるようなものをいう。

用例 ● かつての練習熱も冷めてしまい、居間のピアノは**無用の長物**となっています。

類語 ● 無《む》駄《だ》方便《ほうべん》

元《もと》の木阿弥《もくあみ》

出典：『世話尽(せわづくし)』

一度高い地位を得た人や裕福になった人、また行動や態度を改めた人が、再び元の状態に戻ること。また、せっかくの苦労が無駄になること。

用例 ● ダイエットが順調にいっていたのに、パーティでたくさん食べてしまい、**元の木阿弥**になってしまいました。

類語 ● 元の木庵《もくあん》／元の木椀《もくわん》

焼《や》け石《いし》に水《みず》

出典：『玉塵抄(ぎょくじんしょう)』

少しばかりの労力を費やすだけでは効果がなく、目的を達成するには不十分であること。熱く焼けた石に水をかけても、冷ますのは難しいことから。

用例 ● 試験の前日に徹夜で勉強しましたが、**焼け石に水**でした。

類語 ● 焼け石に雀の涙

出典解説【中国の作品】

● 景徳伝灯録（けいとくでんとうろく）

関連ページ →27、101、275

禅宗史書。道原《どうげん》の選。宋の景徳元年（1004年）に成立。30巻。1,701人もの禅者について記述し、それぞれの問答、行状、悟りの機縁などを収めている。禅宗の立場を示す文献として、日本にも多大な影響を与えた。

無関心／無関係

蛙《かえる》の面《つら》へ水《みず》

出典：『毛吹草(けふきぐさ)』

カエルの顔に水をかけても平気なように、人からどんなことを言われたりされたりしても、鈍感で感じないこと。また、あつかましいようすをいう。

用例 ● 悪口雑言をあびせられても、彼は**蛙の面へ水**といった風情で聞き流していました。

類語 ● 蛙の面に小便／馬の耳に念仏／馬の耳に風／馬耳東風《ばじとうふう》

去《さ》る者《もの》は日《ひ》日《び》に疎《うと》し

出典：『徒然草(つれづれぐさ)』

親しく付き合った人でも離れ離れになると、だんだん疎遠になること。また、亡くなった人も年月が経つにつれ、忘れられてしまうこと。

用例 ● **去る者は日日に疎し**といいますが、転居してからも、みなさんのご恩は忘れません。

類語 ● 遠くなれば薄くなる／遠ざかるは縁の切れ目

触《さわ》らぬ神《かみ》に祟《たた》り無《な》し

出典：『左近太郎雪辻能(さこんのたろうゆきのつじのう)』

関わりを持たなければ災難に遭うこともないという意味。余計な手出し、口出しをいましめるときなどに用いる。

用例 ● **触らぬ神に祟り無し**といいますし、やっかいな問題には関わらないほうが無難です。

類語 ● 触らぬ蜂は刺さない

反対 ● 義を見てせざるは勇なきなり

知《し》らぬが仏《ほとけ》

出典：『譬喩尽（たとえづくし）』

内情を知れば腹が立つが、知らなければ仏のように穏やかな心でいられるということ。また、周囲はばかにしているのに本人だけが知らず、平気でいるさま。

用例 ● 他人の不正を**知らぬが仏**でやりすごすのにも限度があります。

類語 ● 知らぬが仏、見ぬが秘事／見ぬが仏／見ぬは極楽、知らぬは仏

対《たい》岸《がん》の火《か》事《じ》

向う岸で起き、飛び火の心配がない火事のように、自分には直接の利害がなく、関心が薄いできごとをいう。他人の災難を傍観する人間心理を表す言葉。

用例 ● しょせん**対岸の火事**です。うかつに口出しすべきではありません。

類語 ● 川向《むこ》うの火事／川向うの喧嘩《けんか》／高みの見物

高《たか》みの見《けん》物《ぶつ》

高い場所から騒ぎを見物するように、自分は直接の利害関係を持たずに、他人の行動や事態のなりゆきを興味本位で見ていること。

用例 ● 両者の反目を、みんなが**高みの見物**で見守っています。／同僚が困っているのに、**高みの見物**はよくないと思います。

類語 ● 対岸の火事

馬《ば》耳《じ》東《とう》風《ふう》

出典：『和何長官六言（わなんちょうかんりくげん）』

他人の意見や批評、忠告を気にかけることなく、すべて聞き流すこと。人の意見に耳を貸さない態度を批判するときなどに用いる。

用例 ● 彼女は多くの意見や批判を、**馬耳東風**と聞き流しています。

類語 ● 馬の耳に風／馬の耳に念仏／蛙の面《つら》へ水／蛙の面に小便／猫に小判

笛《ふえ》吹《ふ》けど踊《おど》らず

出典：『新約聖書』

準備を整え、誘いの声を懸命にかけても、誰も応じてくれないこと。神の福音に対する人々の無関心を嘆いた、イエス・キリストの言葉から。

用例 ● 事業計画を立てたはいいものの、多くの社員は**笛吹けど踊らず**で、実績は遅々として上がりません。

見《み》猿《ざる》聞《き》か猿《ざる》言《い》わ猿《ざる》

出典：『鉢叩（はちたたき）』

他人の欠点や自分に都合の悪いことは、見ない、聞かない、言わないことがよいという処世術。「猿」と打ち消しの助動詞「ざる」をかけている。

用例 ● 人とうまくやっていくには、時には**見猿聞か猿言わ猿**で通す方便も必要です。

類語 ● 三猿《さんえん》

不可能／無理

木《き》に縁《よ》って魚《うお》を求《もと》む

出典：『孟子(もうし)』

魚をとるために木に登るなど、見当違いの手段・方法では物事は成功せず、目的は達せられないということ。また、不可能な望みを持つことをたとえる場合もある。

用例 ● A社に企画を持ち込むなんて、全く業種が違うんだから、**木に縁って魚を求む**ようなものです。

類語 ● 氷を叩いて火を求む／水中に火を求む

無《な》い袖《そで》は振《ふ》れない

お金や物、能力などがないために、援助したくてもできないこと。昔は着物の袖にお金を入れていたが、着物の袖自体がなければお金を貸せないことから。

用例 ● いくら金を貸してくれと懇願されても、これ以上、**無い袖は振れない**のです。

類語 ● 逆さに吊るしても鼻血も出ない

習《なら》わぬ経《きょう》は読《よ》めぬ

読み方を習ったことがないお経を読めないのと同様に、知識も経験もないことは、やれと言われてもできないということ。

用例 ● **習わぬ経は読めぬ**というように、急に手の込んだ料理を作れと言われても、ご期待には添いかねます。

反対 ● 門前の小僧習わぬ経を読む

覆《ふく》水《すい》盆《ぼん》に返《かえ》らず

出典：『拾遺記(しゅういき)』

容器からこぼれた水を元に戻すことができないように、一度実行したら取り返しがつかないこと。また、離婚した夫婦の仲がもと通りにならないことのたとえ。

用例 ●**覆水盆に返らず**ですから、二人の離婚がくつがえることはないでしょう。

類語 ●落花枝に帰らず、破鏡《はきょう》再び照らさず

スピーチが光る 英語のことわざ

It's no use crying over spilt milk.

こぼれたミルクを嘆いても無駄である。

過去を嘆いてもしかたがないという意で、「覆水盆に帰らず」(p.149)、「後悔先に立たず」(p.55) の類語。「過ぎたことにくよくよせず、柔軟に考えよう」と、人を励ますときに引用したい。

Don't count your chickens before they are hatched.

卵がかえらないうちに、ひよこを数えるな。

不確実なことをあてにして計画を立てる愚かさを表す。「捕らぬ狸の皮算用」(p.249) の類語。セールスマンに、売上や利益の見積もりを綿密に立てるよう訓示するときなどに使える。

お 金

悪《あく》銭《せん》身《み》につかず

出典：『三人吉三廓の初買(さんにんきちざくるわのはつがい)』

不正な手段で得た金銭はつまらないことに浪費され、有益な残り方はしないものだという教え。

用例 ● **悪銭身につかず**というように、人をだまして利益を得ても、右から左へと消えてしまうものです。

反対 ● 正直の儲けは身につく

一《いっ》攫《かく》千《せん》金《きん》

たいした苦労もせず、予想を超える大きな利益を一度に得ることをいう。「一攫」はひとつかみ、「千金」は大金の意味。「攫」は「獲」とも書く。

用例 ● **一攫千金**を夢見て、都会へ出てきました。／ぜひこの事業を成功させ、**一攫千金**の栄光を手に入れましょう。

類語 ● 濡れ手で粟《あわ》

一《いっ》刻《こく》千《せん》金《きん》

出典：『春夜詩(しゅんやのし)』

わずかな時間が巨万の富に値するほどすばらしいということ。季節のよいときや、充実した時間、楽しいひとときが過ぎていくのを惜しむ気持ちを表す。

用例 ● 大切な家族と過ごす時間は、私にとって**一刻千金**です。／季節とともに移り変わる美しい庭園を見て、**一刻千金**と感じました。

江《え》戸《ど》っ子《こ》は宵《よい》越《ご》しの銭《ぜに》は使《つか》わぬ

出典：『今文覚助命刺繍(いまもんがくじょめいのほりもの)』

江戸っ子の金ばなれのよさを表すことわざ。気前がよい江戸っ子は、稼いだ金をその日のうちに使ってしまい、翌日まで残さないということ。

用例 ●**江戸っ子は宵越しの銭は使わぬ**という言葉通り、東京生まれの私は貯金が苦手です。

類語 ●江戸っ子は宵越しの銭は持たぬ／江戸者の生まれ損い金を溜《た》め

金《かね》の切《き》れ目《め》が縁《えん》の切《き》れ目《め》

金があるときは親しく付き合ってくれる人も、金がなくなると相手にしてくれなくなるということ。男女間などの金の介在した関係に使われることが多い。

用例 ●失業したとたん、**金の切れ目が縁の切れ目**と、妻から離婚を迫られました。

類語 ●愛想《あいそ》づかしは金から起こる

金《かね》は天《てん》下《か》の回《まわ》り物《もの》

金は世の中を回り続けるものだから、いつかは自分にも回ってくるはずだということ。 金のない人を励ましたり、損や浪費をした人をなぐさめるときに用いる。

用例 ●**金は天下の回り物**といいますから、大きな利益を得る機会はまた巡ってくるはずです。

類語 ●金は浮き物／金は湧《わ》き物／金銀は回り持ち

反対 ●金は片行《かたい》き

金《かね》持《も》ち喧《けん》嘩《か》せず

金持ちや優位な立場にある人は、損得を考えて無用な争いを避けるということ。つまらない紛争は避けたほうがよいと、忠告するときなどに用いる。

用例 ● 小さなことで争うのはやめましょう。**金持ち喧嘩せず**というではありませんか。

類語 ● 金持ち身が大事／金持ち舟に乗らず

地《じ》獄《ごく》の沙《さ》汰《た》も金《かね》次《し》第《だい》

出典：『浮世風呂(うきよぶろ)』

地獄では金次第で手加減もあるくらいだから、世の中、金さえあればどうにでもなるということ。金がものをいう世の中を皮肉った言葉。

用例 ● **地獄の沙汰も金次第**といいますし、老後の資金は多ければ多いほどいいでしょう。

類語 ● 阿弥陀《あみだ》の光も銭次第／銭のある時は鬼をも使う／冥途《めいど》の道《みち》も金次第

貧《びん》乏《ぼう》暇《ひま》なし

生活に追われ、年がら年中働き通しで、休む暇もほかのことをする余裕もないこと。仕事が忙しくて休めない人が謙遜して使うことが多い。

用例 ● **貧乏暇なし**の状態が続いてご挨拶もままならず、大変恐縮です。

類語 ● 貧乏は達者《たっしゃ》の基《もと》

冥《めい》土《ど》の道《みち》も金《かね》次《し》第《だい》

この世は何事も金に支配されるということ。人が死んであの世へ行くのにも、金で左右されるといわれることから。

用例 ● **冥土の道も金次第**といいますから、万が一に備えての貯金は欠かせません。

類語 ● 阿《あ》弥《み》陀《だ》の光も銭次第／地獄の沙《さ》汰《た》も金次第／銭のある時は鬼をも使う

安《やす》物《もの》買《が》いの銭《ぜに》失《うしな》い

出典：『毛吹草(けふきぐさ)』

値段は安いものの、すぐに壊れたり、使いものにならなかったりするものを購入し、損をすること。値段の安さだけで安易に買い物をしないようにという教え。

用例 ● 破格の値段で購入した中古車は故障が多く、結局すぐに買い替えました。**安物買いの銭失い**だったというわけです。

類語 ● 安物は高物《たかもの》／安物買いの銭乞食

出典解説【中国の作品】

● 孔子家語（こうしけご）

関連ページ → 72

儒教の書。10巻44編が現存。孔子の言行や、弟子との問答、伝聞などを収録。孔子の子孫、孔安国《こうあんこく》の名を借り、魏《ぎ》（220～265年）の王粛《おうしゅく》が偽作したものと考えられているが、資料としての価値は高い。

いろいろな人間関係

油《あぶら》に水《みず》

出典：『御前義経記(ごぜんぎけいき)』

油に水を入れても溶け合わないように、両者が互いに混じり合わないこと。また、感情や意思がしっくりいかず、関係がうまくいかないことのたとえ。

用例 ●**油に水**といわれるくらい性格の違う彼女とは、意思疎通すら困難です。

類語 ●水と油／油に水の混じるが如《ごと》し

異《い》口《く》同《どう》音《おん》

出典：『宋書(そうじょ)』

みんなが口をそろえて、同じことをいうこと。多くは、大勢の人の意見や考えがぴったりと一致する意味で使う。

用例 ●巨大商業施設の建設について、隣接する商店街の店主たちは**異口同音**に反対しました。

類語 ●満場一致《まんじょういっち》

牛《うし》に引《ひ》かれて善《ぜん》光《こう》寺《じ》参《まい》り

出典：『本朝俚諺(ほんちょうりげん)』

思いがけず、また人の誘いで信仰の道に入ること。また、人に誘われて思いがけない場所へ行ったり、よいことにめぐり合ったりすることをいう。

用例 ●**牛に引かれて善光寺参り**といいますが、私は知人の誘いで、禅寺へ座禅に行くようになりました。

有《う》象《ぞう》無《む》象《ぞう》

種々雑多な、つまらない人々のこと。どうしようもないろくでなしの連中といった、ばかにしたニュアンスを含む。

用例 ●世の中の**有象無象**が何といおうと、気にすることはありません。／**有象無象**が騒ぎ立てているようですが、真相は一体何だったのでしょうか。

売《う》り言《こと》葉《ば》に買《か》い言《こと》葉《ば》

片方が悪口をいうと、もう一方も対抗していい返し、悪口のいい合いになること。口げんかで人間関係がこじれるようすを表す。

用例 ●**売り言葉に買い言葉**から、大げんかに発展してしまいました。／**売り言葉に買い言葉**で、貴重な友人を失うこともあります。

同《おな》じ穴《あな》の貉《むじな》

出典：『蚊不食呪詛曽我(かにくわれぬまじないそが)』

同じ仲間という意味。人間をたぶらかすムジナが同じ穴に集まるようすにたとえている。多くは、悪事を行う集団やその一味であることをいう。

用例 ●上司にやつ当たりされた憂さばらしに、後輩をいじめるのなら、あなたも**同じ穴の貉**です。

類語 ●同じ穴の狐《きつね》／同じ穴の狸《たぬき》

合《がっ》従《しょう》連《れん》衡《こう》

出典：『史記(しき)』

弱いものどうしが手を組み、計りごとをめぐらせて強者に対抗すること。また、そのときの利害に応じて、手を組んだり敵対したりすること。

用例 ●トップシェア獲得を狙い、数社が**合従連衡**を模索しています。／各政党は**合従連衡**を繰り返し、政権獲得を目指してきました。

枯《か》れ木《き》も山《やま》の賑《にぎ》わい

出典：『諺苑(げんえん)』

役に立たないようなものでも、加わればないよりましだということ。集まりに参加する人が謙遜して使うことが多い。

用例 ●私のような者でもこの場にいれば、**枯れ木も山の賑わい**かと思い、参加いたしました。

類語 ● 枯れ木も森の賑わい／枯れ木も山の飾り

反対 ● 烏合《うごう》の衆《しゅう》

管《かん》鮑《ぽう》の交《まじ》わり

出典：『史記(しき)』

友人との極めて親密な付き合いのこと。互いに利害にとらわれず、よく理解し合い、信頼し合った付き合いをいう。

用例 ●彼と小学校のころからの、**管鮑の交わり**といわれるほどの付き合いです。

類語 ●水魚の交わり／断金の交わり／刎頸《ふんけい》の友／肝胆相《かんたんあい》照らす

呉《ご》越《えつ》同《どう》舟《しゅう》

出典：『孫子(そんし)』

敵対するものどうしが同じ場所に居合わせること。また、そういうものたちが共通の利害や困難に直面し、やむを得ず協力すること。

用例 ●それまで敵対関係にあった政治家どうしが、選挙になると、**呉越同舟**で連立を組みました。

類語 ●楚《そ》越同舟／同舟相《あい》救う

五《ご》十《じゅっ》歩《ぽ》百《ひゃっ》歩《ぽ》

出典：『孟子(もうし)』

多少の違いはあるにせよ、本質的には同じであること。戦場で五十歩逃げた兵士が、百歩逃げた兵士を臆病者だと笑ったという故事から。

用例 ●どの候補者も**五十歩百歩**だったのでしょう。彼女は独身であることを選んだようです。

類語 ●目《め》糞《くそ》鼻《はな》糞《くそ》を笑う／猿の尻笑い／大同小異《だいどうしょうい》／似たり寄ったり／団栗《どんぐり》の背競《せいくら》べ

三《さん》人《にん》寄《よ》れば文《もん》殊《じゅ》の知《ち》恵《え》

出典：『船打込橋間白浪(ふなうちこみはしまのしらなみ)』

凡人でも、三人集まって相談すれば、名案が生まれるものだということ。「文殊」とは、知恵をつかさどる文殊菩薩のこと。

用例 ●**三人寄れば文殊の知恵**といいますし、メンバーを集めてアイデアを出し合いましょう。

類語 ●一人の好士《こうじ》より三人の愚者

反対 ●船頭多くして船山へ上る

蛇《じゃ》の道《みち》は蛇《へび》

出典：『唐船噺今国性爺（からふねばなしいまこくせんや）』

同類の者はお互いをよく理解しているということ。大蛇（だいじゃ）の通り道は、同類である小さな蛇にはよくわかることから。

用例 ●**蛇の道は蛇**といいますから、その道のプロに会って話を聞いたほうがいいと思います。

類語 ●餅は餅屋／商売は道によって賢《かしこ》し

※ビジネスなどでいましめる場合に使える。

十《じゅう》人《にん》十《と》色《いろ》

出典：『秋色絞朝顔（しゅうしょくしぼりのあさがお）』

人はその容貌がそれぞれ異なるように、性格、考え方、好みにも違いがあるということ。人間関係を表す場合やいましめにも使える。

用例 ●同じ景色を見ても、**十人十色**、感じることは違うものです。

類語 ●十人十腹／人の心は面《おもて》の如《ごと》し／十人寄れば十《と》国《くに》の者

朱《しゅ》に交《まじ》われば赤《あか》くなる

出典：『太子少傅箴（たいししょうふしん）』

人は交際相手によって、よくも悪くもなるということ。多くは、人から悪影響を受けるといった悪い意味で使う。また、交友関係に注意を促すときにも用いる。

用例 ●**朱に交われば赤くなる**といいますし、親としては、子どもの友達付き合いが気になります。

類語 ●善悪は友に依《よ》る

反対 ●泥中《でいちゅう》の蓮《はす》

水《すい》魚《ぎょ》の交《まじ》わり

出典：『三国志(さんごくし)』

互いに親密な関係であることで、よい意味で用いる。魚は水のないところでは生きられず、魚と水は切っても切れない深い関係にあることから。

用例●人にはそれぞれ**水魚の交わり**ともいうべき友が一人はいるものです。

類語●管鮑《かんぽう》の交わり／断金の交わり／刎頸《ふんけい》の友／肝胆相《かんたんあい》照らす

袖《そで》すり合《あ》うも他《た》生《しょう》の縁《えん》

出典：『名歌徳三舛玉垣(めいかのとくみますのたまがき)』

人との関係は大切にしなさいという教え。道で袖がふれ合うのも偶然ではなく、前世からの因縁によるものという、仏教的な考え方からきている。

用例●**袖すり合うも他生の縁**といいます。どうぞ久しいお付き合いをお願いいたします。

類語●一樹《いちじゅ》の陰一河《いちが》の流れも他生の縁／つまづく石も縁の端

大《だい》同《どう》小《しょう》異《い》

出典：『荘子(そうじ)』

細かなところに多少の違いはあるが、大きく見ればそれほど異なることはなく、だいたい同じであること。

用例●趣味の似た人が集まると、どの人の意見も**大同小異**で、つまらないですね。

類語●同工異曲《どうこういきょく》／似たり寄ったり／五十歩百歩《ごじゅっぽひゃっぽ》／団栗《どんぐり》の背競《せいくら》べ

適《てき》材《ざい》適《てき》所《しょ》

人を用いるとき、それぞれの人材がその力を発揮できるよう、才能、能力、適性にふさわしい地位や任務につけること。

用例 ● 部下に信頼される上司になりたいなら、**適材適所**の人材配置を心がけることです。

※ビジネスなどでいましめる場合に使える。

同《どう》床《しょう》異《い》夢《む》

出典：『乙巳春答㆓朱元晦秘書㆒書(いつしのはるしゅげんかいひしょにこたうるのしょ)』

同じ寝床に寝ていながら、見る夢がそれぞれ異なるように、同じ立場や同じ仕事をする人どうしで、意見や考え、目的が違っていること。

用例 ● A社とB社は合併を画策していますが、しょせんは**同床異夢**です。／このプロジェクトに参加するメンバーが**同床異夢**ではいけません。もっと話し合いをすべきです。

同《どう》病《びょう》相《あい》憐《あわ》れむ

出典：『呉越春秋(ごえつしゅんじゅう)』

互いに恵まれない境遇に置かれていたり、共通の悩みを持っていたりする者どうしは、相手の苦しみが理解できるため、同情し合うということ。

用例 ● 万年最下位のチームの熱狂的なファンどうしが、**同病相憐れむ**思いで意気投合しました。

類語 ● 同類相憐れむ／同気《き》相求む

反対 ● 同壮《どうそう》相嫉《にく》む／欲を同じうして相憎む

毒《どく》を以《もっ》て毒《どく》を制《せい》す

出典：『普燈録(ふとうろく)』

毒消しに副作用のある薬を利用するように、悪をおさえるのに、ほかの悪を用いること。また悪人を制するのに、ほかの悪人を利用することをいう。

用例 ● このたびの人事異動で、彼の副部長就任は、まさに**毒を以て毒を制す**人事といえるでしょう。

反対 ● 火で火は消えぬ

隣《となり》の花《はな》は赤《あか》い

他人のものは自分のものよりよく見えて、うらやましく思えること。また、他人の持つ珍しいものをすぐに欲しがる意を表すこともある。

用例 ● **隣の花は赤い**からでしょうか、向かいのお宅の自家用車はとても見栄えがします。

類語 ● 人の花は赤い／他人の飯は白い

反対 ● 人の物より自分の物

団《どん》栗《ぐり》の背《せい》競《くら》べ

平凡なものばかりで、特別勝っていたり、優れていたりするものがないこと。また、たいした実力もない人どうしで優劣を競い合うことのたとえ。

用例 ● わが社の社内での部ごとの営業成績は**団栗の背競べ**でした。

類語 ● 大同小異《だいどうしょうい》／似たり寄ったり／五十歩百歩《ごじゅっぽひゃっぽ》

反対 ● 掃《は》き溜《だ》めに鶴

付《ふ》和《わ》雷《らい》同《どう》

出典：『礼記(らいき)』

地に足のついた主義や主張を持たず、むやみに人の意見に同調すること。安易に人に同調する態度を批判するときなどに用いる。

用例 ● 社内には覇気がなく、**付和雷同**の姿勢が目に付きます。もっと活発な意見交換が必要です。

類語 ● 尻馬に乗る／同じて和せず

反対 ● 和して同ぜず

水《みず》清《きよ》ければ魚《うお》棲《す》まず

出典：『曽我物語(そがものがたり)』

人があまりにも清廉潔白であると、敬遠され、孤立すること。清らかすぎる水には餌や隠れる場所がなく、魚が棲まないことにたとえている。

用例 ● 品行方正の度が過ぎると、**水清ければ魚棲まず**で、仲間が寄り付かないものです。

類語 ● 水清ければ大魚《たいぎょ》無し

※日常生活全般でいましめる場合に使える。

元《もと》の鞘《さや》に納《おさ》まる

いったん仲たがいして別れたものどうしが、以前と同じ親密な関係に戻ること。家族、友人、職場の仲間、企業グループなど密接な関係にあるものに対し用いる。

用例 ● 別居していたＡ夫妻も子供の結婚をきっかけに、**元の鞘に納まり**ました。／一時は合併計画が白紙に戻りかけたA社とB社は、トップの話し合いで**元の鞘に納まった**ようです。

類《るい》は友《とも》を以《もっ》て集《あつ》まる

出典：『金々先生栄花夢(きんきんせんせいえいがのゆめ)』

共通の趣味を持つ人や、性質の似た人どうしは、自然とお互いに寄り集まり、グループを作るものだということ。よい意味にも、悪い意味にも用いる。

用例 ●**類は友を以て集まる**というように、野球好きが自然に集まってチームを結成しました。

類語 ●類は友を呼ぶ／牛は牛連れ馬は馬連れ

反対 ●氷炭《ひょうたん》相容《あいい》れず

和《わ》して同《どう》ぜず

出典：『論語(ろんご)』

人と協調するのはよいことであるが、いたずらに同調したり、妥協したりするのは慎むべきであるということ。自分の意見や信念を大切にしなさいという教え。

用例 ●組織の中にあっても、どこかで一線を引き、**和して同ぜず**であるべきです。

反対 ●同じて和せず／付《ふ》和《わ》雷同《らいどう》

※日常生活全般でいましめる場合に使える。

間違えやすい ことわざの解釈

誤用例：

情けは人の為ならず。放っておけよ。

関連ページ → 71

上のように「情けをかけると、その人のためにならない」という意に誤ることが多い。「情けをかけると、巡り巡って自分のためになる。情けをかけよう」という意味で用いる。

鬼《おに》も十《じゅう》八《はち》、番《ばん》茶《ちゃ》も出《で》花《ばな》

出典：『醒睡笑(せいすいしょう)』

器量のよくない女性でも、年ごろになると魅力や色気が出てくるということ。女性を鬼や番茶にたとえるため、他人には用いず、身内の者に謙遜して使うことが多い。

用例 ● わが娘も**鬼も十八、番茶も出花**の年ごろだけあって、女らしくなったと言われます。

類語 ● 薊《あざみ》の花も一盛《ひとさか》り／鬼も十七、茨も花／番茶も出花／鬼も十七、茨も花山茶も煮端

蛙《かえる》の子《こ》は蛙《かえる》

出典：『諺苑(げんえん)』

子どもは親に似るため、凡人の子は凡人でしかないということ。また、親と同じ道を子が進むことをいう意味もある。 身内に対して謙遜して使うことが多い。

用例 ● 親の欲目で見てもわが子はごく普通の子どもです。やはり**蛙の子は蛙**なのでしょうか。

類語 ● 瓜の蔓に茄子はならぬ

反対 ● 鳶《とび》が鷹《たか》を生む

総《そう》領《りょう》の甚《じん》六《ろく》

出典：『浮世床(うきよどこ)』

長男は甘やかされて育つせいか、往々にしておっとりして世間知らずであることが多いということ。長男のおっとりぶりをからかうときに用いる。

用例 ● よく気が付く次男に比べ、長男はのんびりしていて、**総領の甚六**という言葉がぴったりです。

下《へ》手《た》の横《よこ》好《ず》き

専門外のことで、上手でないことに熱心に打ち込むこと。多くは、自分や身内が趣味などに熱中するようすを謙遜して表す。

用例 ●**下手の横好き**で市民マラソンによく参加しますが、いつもびりを争うような成績です。

類語 ●下手の物好き

反対 ●好きこそ物の上手なれ／好きこそ上手

馬《ま》子《ご》にも衣《い》装《しょう》

出典：『諺苑(げんえん)』

どんな人でもきれいに着飾れば、それなりの品格が出て立派に見えるということ。自分や身内を謙遜するときに用いる。

用例 ●結婚式の来賓《らいひん》から礼装をほめられ、「**馬子にも衣装**です」とお礼を言いました。

類語 ●猿にも衣装／切り株にも衣装

反対 ●衣《ころも》ばかりで和尚《おしょう》はできぬ

来《らい》年《ねん》の事《こと》を言《い》えば鬼《おに》が笑《わら》う

未来のことをあれこれ言っても始まらないということ。見通しが不確かな来年以降のことを言うとき、謙遜して用いることが多い。

用例 ●**来年の事を言えば鬼が笑う**といいますが、来年は売上三割増しを目標にしたいと思います。

類語 ●来年の事を言えば烏《からす》が笑う

その他

中《あた》らずと雖《いえど》も遠《とお》からず

出典：『大学(だいがく)』

推測や予想がそのものずばりではないものの、およそ的を得ているか、それほど外れていないということ。「中らず」は「当たらず」と書くこともある。

用例 ● 何かよい知らせがあるに違いないと感じた君の予感は、**中らずと雖も遠からず**でした。／占い師から告げられたことは、**中らずと雖も遠からず**の内容でした。

当《あ》たるも八卦《はっけ》当《あ》たらぬも八卦《はっけ》

占いは当たることもあれば当たらないこともあるから、占いの吉凶はあまり気にしなくてもよいということ。 占いで悪い結果が出たときに用いられることが多い。

用例 ● **当たるも八卦当たらぬも八卦**ですから、占いの結果は軽く受け流しておくのが正解です。

類語 ● 当たるも不思議当たらぬも不思議／合うも不思議合わぬも不思議

鬼《おに》の居《い》ぬ間《ま》に洗濯《せんたく》

出典：『青砥稿花紅彩画(あおとぞうしはなのにしきえ)』

怖い人や何かと気をつかう人のいない間に、したいことをしたり、息ぬきしたりすること。「洗濯」は息抜きや気晴らしのことで、「鬼」は家族や会社の上司など身近な人を指す。

用例 ● 両親の旅行中は、**鬼の居ぬ間に洗濯**とばかりに、好きな映画のビデオをまとめて見ました。

類語 ● 鬼の留守に洗濯／鬼の来ぬ間に洗濯

蜘《く》蛛《も》の子《こ》を散《ち》らす

出典：『十訓抄(じっきんしょう)』

大勢の人がいっせいに、四方八方へ散って逃げるさまをいう。クモの卵が入った袋が破れ、おびただしい数のクモの子が四方にさっと散るようすから。

用例 ●しかられることを恐れ、子どもらは**蜘蛛の子を散らす**ように逃げていきました。

類語 ●算《さん》を乱《みだ》す

酒《さけ》は百《ひゃく》薬《やく》の長《ちょう》

出典：『漢書(かんじょ)』

酒は節度をもってほどほどに飲めば、どんな薬よりも体によいということ。酒を薬として奨励した中国・新（しん）の皇帝・王莽（おうもう）の言葉。

用例 ●**酒は百薬の長**ですから、節度をもって楽しみたいものです。

反対 ●酒は百毒の長／酒は諸悪の基《もと》

死《し》人《にん》に口《くち》なし

死んでしまった人は、自分の潔白を証明することも弁解することもできないということ。故人に無実の罪を着せることで、罪を免れようとする意味がある。

用例 ●**死人に口なし**とばかりに、故人に無実の罪を着せようとするたくらみは、許せません。

類語 ●死人に妄《もう》語《ご》

※故人を都合よく利用する行為を推察させる言葉。

雌《し》雄《ゆう》を決《けっ》す

出典：『史記(しき)』

勝負を決すること。また、戦って決着をつけること。「雌雄」はもともと弱い者と強い者のことで、転じて、負けることと勝つことを意味する。

用例 ● **雌雄を決す**大一番がいよいよ開催されます。／どちらの提案がよいか、コンペで**雌雄を決す**ことになりました。

酒《しゅ》池《ち》肉《にく》林《りん》

出典：『史記(しき)』

豪勢な酒宴のこと。転じて、金に糸目をつけない豪遊のこと。池に酒をたたえ、肉を木々につるし、ぜいたくの限りをつくしたという酒宴の故事から。

用例 ● 不景気になり、**酒池肉林**の酒宴を張ることも珍しくなりました。／財産家の道楽息子は、留学先で**酒池肉林**の毎日を送っていたようです。

雀《すずめ》の涙《なみだ》

あるかないかわからないほど、ほんの少しであること。体の小さな雀が目から流す涙は、わずかな量でしかないことから。

用例 ● 入社後初めてもらったボーナスは、**雀の涙**ほどの金額でした。

類語 ● 蚤《のみ》の小便／爪の垢《あか》ほど

大《たい》山《ざん》鳴《めい》動《どう》して鼠《ねずみ》一《いっ》匹《ぴき》

出典：ホラティウス（古代ローマ）の言葉から

大げさに騒いだわりには、結果はたいしたことがないこと。大きな山が揺れ動いたので何事かと見ていると、出てきたのはネズミ一匹であったということから。

用例 ● 今回の摘発はマスコミで大きく取り上げられたものの、**大山鳴動して鼠一匹**で、逮捕者はたったの一人でした。

臍《へそ》が茶《ちゃ》を沸《わ》かす

出典：『糸桜本町育（いとざくらほんちょうそだち）』

腹の皮がよじれるほどおかしく、笑いを抑えられないこと。また、笑わずにはいられないほどばかばかしいことを、皮肉をこめて表す場合もある。

用例 ● 彼から、**臍が茶を沸かす**ほど面白い話を聞きました。

類語 ● 臍が宿替《やどが》えをする／臍が縒《よ》れる／踵《かかと》が茶を沸かす

弁《べん》慶《けい》の泣《な》き所《どころ》

向こうずね、または手の中指の第一関節から先の部分。けられたり、せめられると豪傑の弁慶でも泣くほど痛いことから。転じて、最も弱いところや攻められると困る急所をいう。

用例 ● 彼の**弁慶の泣き所**は、かわいい盛りの子どもたちだそうです。／A社は、過大な人件費が**弁慶の泣き所**になっています。

類語 ● アキレス腱《けん》

スピーチが光る 英語のことわざ

Wine is old men's milk.

ワインは老人のミルクである。

ワインは老人にとってミルクのように滋養のあるものだという意味。「酒は百薬の長」（p.167）の類語。パーティの席で「Wine is old men's milk と言いますが、あまり飲み過ぎないように…」などとユーモアを交えて使うとよいだろう。

Every man in his humour.

人はそれぞれ気質がある。

「十人十色」（p.158）の類語。入学式や卒業式、あるいは入社式など、人が多く集まる席で、人が持つ個性に言及する場合に使える。それぞれの個性を尊重し、伸ばしていくよう励ます意味で引用するとよい。

He that hunts two hares loses both.

二匹の兎を捕らえようとする者は、
二匹とも捕り損なう。

日本のことわざ「二兎を追う者は一兎をも得ず」（p.134）はこの訳語である。欲得から二つのことに手を出し、結局どちらも失敗すること。会社内の訓辞などで、自分のビジネスに対して着実に取り組むよう促す場合などに使える。

第4章

人を良く評価する

- 技術・才能をほめる
- 知性／頭の良さ
- 経験豊富
- 性格をほめる
- 気配りの良さ
- 美しさ

技術・才能をほめる

一《いち》字《じ》千《せん》金《きん》

出典：『史記(しき)』

一文字に大金を与える価値があること。転じて、人の書いた文章や文字がきわめて優れていることをいう。他人の文章や文字をほめるときに使うことが多い。

用例 ●君の作文は、**一字千金**の価値があります。／彼女が筆をふるった書は、**一字千金**に値するすばらしい作品です。

換《かん》骨《こつ》奪《だっ》胎《たい》

出典：『冷斎夜話(れいさいやわ)』

元来は、古いものをまねながら自分なりの新しい工夫を加え、新しいものを作り出すという意。現在では、盗作や模倣の意で用いられることもある。

用例 ●彼は昔の生活習慣を**換骨奪胎**して、全く新しいライフスタイルを提案するような独創的な人物です。／彼の絵は有名画家の作品を**換骨奪胎**したもので、批評に値しません。

芸《げい》術《じゅつ》は長《なが》く人《じん》生《せい》は短《みじか》し

出典：『ヒポクラテス(古代ギリシャ)"Art is long, life is short"』

人間の一生は短いが、芸術作品を完成させるには時間がかかるということ。また、優れた芸術作品は作者の死後も、長い時代にわたって残るということ。

用例 ●二十五歳で夭逝した彼の作品は、死後なお高い評価を受けています。もう少し彼が長生きしていれば。**芸術は長く人生は短し**とはこのことです。

山《さん》椒《しょう》は小《こ》粒《つぶ》でもぴりりと辛《から》い

出典：『毛吹草(けふきぐさ)』

山椒の実が小さいながらも辛いように、体は小柄でも激しい気性と優れた才能を持ち、あなどれない存在である人のたとえ。

用例 ● 小柄ながらきびきびと働く彼女は、**山椒は小粒でもぴりりと辛い**という印象の人です。

類語 ● 小さくとも針は呑まれぬ

反対 ● 大男総身《そうみ》に知恵が回りかね／独活《うど》の大木

七《しち》歩《ほ》の才《さい》

出典：『世説新語(せせつしんご)』

詩や文章を作る才能がきわめて優れていること。また、詩を作るのが早いこと。中国・魏（ぎ）の曹植（そうしょく）が七歩歩く間に詩を作ったという故事から。

用例 ● コンクールに入選した作文は、**七歩の才**を感じさせるものばかりです。／若くして**七歩の才**に恵まれた彼は、次々と意欲的な作品を発表していきました。

出《しゅつ》藍《らん》の誉《ほま》れ

出典：『荀子(じゅんし)』

弟子が師匠よりもさらに優れていること。青い色の染料は藍という草から取るが、その藍で染めた色は原料の藍よりも濃いことからいう。

用例 ● 彼の弟子の腕はなかなかのもので、**出藍の誉れ**という評価も聞かれます。

類語 ● 青は藍《あい》より出でて藍《あい》より青し／氷は水より出でて水より寒し

立《た》て板《いた》に水《みず》

弁舌が大変さわやかで達者なこと。また、続けざまにものをいうこと。立てかけた板に水を流すと、さっと速く流れることから。

用例●普段は無口な彼ですが、専門分野を説明するときはまさに**立て板に水**です。

類語●戸板に豆

天《てん》衣《い》無《む》縫《ほう》

出典：『霊怪録(れいかいろく)』

気持ちがまっすぐで、飾り気がなく、無邪気なこと。文章や詩歌、絵画などが技巧に走らず、自然で美しいこと。人や芸術作品の自然な魅力をあらわす。

用例●彼女の書く書を一言で表すとしたら、**天衣無縫**という言葉がぴったりでしょう。／（性格をほめる）**天衣無縫**な性格が彼女の魅力です。

天《てん》馬《ば》空《くう》を行《い》く

出典：『薩天錫詩集(さつてんしゃくししゅう)』

文章や書の勢いが優れているようす。また発想や行動が何物にもとらわれず、自由奔放でのびのびしていること。限りない成功を手にすることのたとえ。

用例●あの小説家は、**天馬空を行く**作風で人気を集めています。／彼は**天馬空を行く**ような発想で、これまでの常識をくつがえす新しい商品を考え出す人物です。

二《に》足《そく》の草鞋《わらじ》を履《は》く

種類の異なる二つの職業を、一人で同時にこなすこと。表向きの仕事とは別に、副業をもつこと。

用例 ●彼女は会社員として働くかたわら推理小説を書くという、**二足の草鞋を履く**有能な人物です。

嚢《のう》中《ちゅう》の錐《きり》

出典：『史記(しき)』

才能のある人は、集団の中にいてもいつかその真価をあらわすことをいう。「嚢」とは袋の意で、袋の中のきりはいずれ袋を突き破り、その先端が見えることから。

用例 ●多くの社員の中から頭角をあらわした彼は、まさに**嚢中の錐**の人物です。

類語 ●錐の嚢中に処《お》るが如《ごと》し／錐嚢《すいのう》

八《はち》面《めん》六《ろっ》臂《ぴ》

あたかも八つの顔と六本の肘を持っているかのように、一人が何人分もの働きをして、多くの方面でめざましい活躍をすること。

用例 ●彼の**八面六臂**の大活躍がなかったら、わがチームの優勝はなかったでしょう。

類語 ●三面六臂

知性／頭の良さ

一《いち》を聞《き》いて十《じゅう》を知《し》る

出典：『論語(ろんご)』

一つのことを聞いて十のことを知るように、物事の一部を聞いて全体を理解すること。才知に優れ、大変聡明であることのたとえ。

用例 ●**一を聞いて十を知る**ような、状況把握の的確な彼が、この仕事には適任です。

類語 ●一を聞いて万《ばん》を悟る／目から鼻へ抜ける

眼《がん》光《こう》紙《し》背《はい》に徹《てっ》す

文章の表面を追うだけでなく、内容に込められた深い意味まで理解すること。文字が書かれた紙の裏まで眼光が突きぬけるさまにたとえている。

用例 ●彼の、この分野での読解力は、まさに**眼光紙背に徹す**というべきであります。

類語 ●眼光紙背に徹《とお》る

爪《つめ》の垢《あか》を煎《せん》じて飲《の》む

優れた人にあやかりたいと思うこと。立派な人のものであれば、爪の垢のようなものでも薬になり、飲めばその人に似てくるだろうということから。

用例 ●彼の優れた能力は驚嘆すべきもので、せめて彼の**爪の垢を煎じて飲む**くらいのことでもしたいものです。

類語 ●薬に煎じて飲ませたい

当《とう》意《い》即《そく》妙《みょう》

その場、そのときに応じて、うまく機転をきかせること。また、すばやく知恵を働かせて、その場にかなった対応をするようす。

用例 ●彼の**当意即妙**の行動で、危機をくぐりぬけることができました。／彼女は**当意即妙**のユーモアで、その場の雰囲気をなごやかなものにしてくれました。

鑿《のみ》と言《い》えば槌《つち》

出典：『言葉の種』

よく気が付くことや、気がきいていることのたとえ。「鑿」を取ってほしいというと、一緒に使う「槌」まで添えてくれる機転のよさにたとえている。

用例 ●昨日の事故も、彼が**鑿と言えば槌**というような機転のきく人だったおかげで、大事にならずに済みました。

類語 ●釘といえば金槌

博《はく》引《いん》旁《ぼう》証《しょう》

物事を論じたり、結論を出したりするときに、多くの資料を集め、具体例や証拠を広く示しながら説明すること。ビジネスや学校など日常生活全般で使える。

用例 ●他社の商品の特徴を実際に示しながら説明をする会議での彼の**博引旁証**ぶりには驚きました。

類語 ●博引旁捜《そう》／考証該博《こうしょうがいはく》

文《ぶん》武《ぶ》両《りょう》道《どう》

学問と武道のこと。また、そのどちらも優れていること。勉強とスポーツの両立を目指したり、両方で優秀な成績を収めていたりする学校や人に対して用いる。

用例 ● テニス部の主将をしながら成績も優秀という彼は、**文武両道**という評判です。／わが校は**文武両道**の校風で、勉学、スポーツの双方で輝かしい実績を残しています。

目《め》から鼻《はな》へ抜《ぬ》ける

出典：『都気質(みやこかたぎ)』

頭の回転がよくて物事の理解がすばやいこと。また、すばしこくて行動に手ぬかりのないさま。人の賢さ、機敏さをほめるときに用いる。

用例 ● 彼女は学生時代から、**目から鼻へ抜ける**機敏な知性派として有名でした。

類語 ● 打てば響く／一を聞いて十を知る

出典解説【中国の作品】

● **三国志**（さんごくし）

関連ページ → 12、136、159、192、266

魏《ぎ》・呉《ご》・蜀《しょく》が覇を競った三国時代（220〜280年）の歴史書。晋《しん》の陳寿《ちんじゅ》の選。65巻。魏を正統とする立場を取る。これをもとに、後に羅《ら》貫中《かんちゅう》が通俗歴史小説『三国志演《えん》義《ぎ》』を著した。数多くの小説や劇画で取り上げられている。

一《いち》芸《げい》は道《みち》に通《つう》ずる

一つの芸の奥義を極めた人は、ほかの芸でも秀でることができ、すべての物事の道理を理解するようになるということ。

用例 ●氏の優れた業績は、まさしく**一芸は道に通ずる**ことを示しています。

類語 ●一芸は百芸《ひゃくげい》に通ず

※学校などで励ます場合にも使える。

亀《かめ》の甲《こう》より年《とし》の劫《こう》

出典：『鼠小紋東君新形（ねずみこもんはるのしんがた）』

人生経験が豊富な年長者の意見はよく聞き、尊重すべきであるということ。「劫」は長い時間の意で、一万年も生きるといわれる亀の甲羅の「甲」と音をかけている。

用例 ●判断に困ったときはやはり**亀の甲より年の劫**で、Aさんの意見に従えば安心できます。

類語 ●蟹の甲より年の劫／松傘《まつかさ》よりも年嵩《としかさ》／医者と坊主は老人がよい

酸《す》いも甘《あま》いも知《し》り抜《ぬ》く

人生経験が豊かで人情の機微に通じ、世間の表も裏も知りつくしていること。経験豊富で何でもよく知っている人をほめるときに使う。

用例 ●彼は、**酸いも甘いも知り抜く**苦労人として一目置かれています。

類語 ●酸いも甘いも噛み分ける／酸いも甘いもみな承知

泰《たい》山《ざん》北《ほく》斗《と》

出典：『唐書(とうじょ)』

学問や芸術などの分野で尊敬される第一人者。「泰山」は中国山東省にある名山、「北斗」は北斗星のことで、どちらも人々が仰ぎ見るものであることから。

用例 ● この研究分野で、彼は**泰山北斗**といわれるほどの権威です。／彼女は手付かずだった分野で金字塔を築き、**泰山北斗**とよばれました。

餅《もち》は餅《もち》屋《や》

出典：『当風辻談義(とうふうつじだんぎ)』

何事にも専門というものがある。餅屋がついた餅が一番おいしいように、その道の専門家に任せれば、間違いがないという教え。

用例 ● やはり**餅は餅屋**といいますから、ここは専門の彼にまかせることにしましょう。

類語 ● 商売は道によって賢《かしこ》し／蛇の道は蛇

反対 ● 左官《さかん》の垣根

出典解説【中国の作品】

● 史記（しき）

関連ページ →9、19、46、48、111、112、115、116、156、168、172、175、182、197、201、237、261、262、267

前漢の司馬遷《しばせん》の選。BC91年ごろ成立。中国で最初に紀伝体で記された歴史書であり、中国の正統な歴史書とされる「正史」編纂の基準となった。

温《おん》厚《こう》篤《とく》実《じつ》

出典：『易経（えききょう）』

人柄が大変穏やかで、情に厚く、誠実であること。また、そのような人をいう。誠実で情の深い人をほめるときなどに用いる。

用例 ●**温厚篤実**な人柄の彼は、周囲の人に慕われています。／結婚相手には、**温厚篤実**でやさしい人を希望しています。

君《くん》子《し》に二《に》言《げん》なし

立派な人はできないことを軽々しく口にせず、一度口に出したことは必ず守るということ。「二言」を「にごん」と読むこともある。

用例 ●彼は**君子に二言なし**を実践する人です。約束は必ず守ります。

類語 ●綸言汗《りんげんあせ》の如《ごと》し

去《さ》る者《もの》は追《お》わず

出典：『孟子（もうし）』

離れようとする人を無理に引き止めないという、人に対する度量の大きさを表す言葉。「去る者は追わず、来る者は拒（こば）まず」と対句で用いることもある。

用例 ●一時は退職者も続出しましたが、その経営者は、**去る者は追わず**で、新規の雇用も進め、会社は立派に立ち直りました。

類語 ●往《ゆ》く者は追わず、来たる者は拒まず

質《しつ》実《じつ》剛《ごう》健《けん》

まじめで飾り気がなく、肉体的にも精神的にも健康的で、強くたくましいようす。組織や人の力強さを表したり、暮らしぶりの模範を示すときに用いる。

用例 ● 彼は普段から、趣味や道楽におぼれることなく、**質実剛健**の生活を送っています。／わが校は創立以来、**質実剛健**を校風としています。

泰《たい》然《ぜん》自《じ》若《じゃく》

何かことが起こっても慌てず、普段通りに落ち着いているさま。何事にも動じず、平静でいる人のようすを表す。

用例 ● どんなトラブルが起こっても、彼は**泰然自若**の大人物です。

類語 ● 神色《しんしょく》自若

桃《とう》李《り》言《い》わざれども下《した》自《おの》ずから蹊《けい》を成《な》す

出典：『史記(しき)』

人徳のある人のもとには、自然に人が集まるものだということ。桃やスモモの花実にひかれてその木の下を人々が歩き、自然に小道ができることから。

用例 ● **桃李言わざれども下自ずから蹊を成す**といいますが、人徳のある彼の周囲には人が絶えません。

類語 ● 声無くして人を呼ぶ

能《のう》ある鷹《たか》は爪《つめ》を隠《かく》す

出典：『北条氏直時代諺留(ほうじょううじなおじだいことわざどめ)』

本当に才能のある人は、日ごろそれをひけらかすようなことはせず、必要なときにだけその力を発揮するということ。

用例 ● **能ある鷹は爪を隠す**で、彼は自分の才能を見せびらかすことは好みません。

類語 ● 鼠捕る猫は爪を隠す

反対 ● 能無し犬は昼吠える

花《はな》も実《み》もある

出典：『艶姿女舞衣(はですがたおんなまいぎぬ)』

花が咲き実もつけている木のように、外見が美しいだけでなく内容も充実していること。また、処理のしかたなどが道理にも人情にもかなっていること。

用例 ● ハンサムで人柄もすばらしい彼は、**花も実もある**魅力的な人物だと思います。

類語 ● 色も香《か》もある

※人の美しさをほめる場合にも使える。

武《ぶ》士《し》は食《く》わねど高《たか》楊《よう》枝《じ》

出典：『樟紀流花見幕張(くすのきりゅうはなみのまくはり)』

武士は気位を高く持ち、貧困のため食事ができなくても、ひもじいようすを見せないこと。転じて、貧しくても誇り高く生きるべきだということ。

用例 ● 彼は**武士は食わねど高楊枝**というように、裕福ではなくても品位を失わずに育ちました。

類語 ● 鷹《たか》は飢えても穂を摘まず／渇《かっ》しても盗泉《とうせん》の水を飲まず

判《ほう》官《がん》贔《びい》屓《き》

第三者の立場から、不遇な人や勝負ごとで負けている側、弱い側に同情して応援する気持ちのこと。判官は源義経のことで「はんがん」とも読む。

用例 ●彼は苦労人を見ると、**判官贔屓**でつい手助けしてしまう人です。／**判官贔屓**なもので、サッカーでも、野球でも、劣勢のチームをつい応援してしまいます。

出典解説【中国の作品】

● 詩経（しきょう）

関連ページ →11、28、29、52、70、112、115、264

中国最古の詩集で、儒教の基本的経典「五経」の一つ。孔子の選ともいわれる。商（BC1600年～）から春秋時代（～BC403年）にかけての詩305編を収録。素朴な詩歌から古代人の心情がうかがわれ、日本の『万葉集』と比較されることも多い。

● 春秋左氏伝（しゅんじゅうさしでん）

関連ページ →88、105、106、209、217

春秋時代（BC770～BC403年）の魯《ろ》の歴史を記した『春秋』の注釈書。儒家の基本書「十三経」の一つとされる。著者は魯の左丘明《さきゅうめい》といわれるが明らかではない。30巻。史実が豊富な上に、優れた文学書でもある。

気配りの良さ

縁《えん》の下《した》の力《ちから》持《も》ち

出典：『放屁論(ほうひろん)』

目立たないところで他人のために努力し、力を尽くすこと。また、そのような働きをする人や物をいう。ビジネスや学校など日常生活全般で使える。

用例●在任中はあまり目立つこともありませんでしたが、彼が**縁の下の力持ち**として会社に多大な貢献をしたことを銘記いたします。

類語●縁の下の舞／闇の一人舞

痒《かゆ》い所《ところ》へ手《て》が届《とど》く

人への配慮を表す言葉で、すみずみまで気配りが行き届いているという意味。細かい点まで注意がなされていて、手落ちのないようすをいう。

用例●Aさんの**痒い所へ手が届く**（ような）気づかいは、多くの人が評価しています。

類語●用意周到《よういしゅうとう》／至れり尽くせり

反対●隔《かっ》靴《か》掻痒《そうよう》

出典解説【中国の作品】

● **書経**（しょきょう）

関連ページ→81、102、262、274

儒教の基本的経典「五経」の一つ。孔子の編といわれる。秦の穆公《ぼくこう》（～BC621年）までの古代帝王の政治について記され、帝王学のテキストとして用いられた。「平成」「昭和」など日本の年号の出典としても知られる。

美しさ

色《いろ》の白《しろ》いは七《しち》難《なん》隠《かく》す

出典：『浮世風呂（うきよぶろ）』

女性は肌の色が白ければ、顔かたちに多少の欠点があっても美人に見えるということ。色白の女性の美しさを表す言葉だが、七難とは欠点のことなので使い方に注意。

用例 ●**色の白いは七難隠す**といわれる通り、顔は平凡でも、肌が白くてきれいな女性はとても魅力的に見えます。

類語 ●米の飯《めし》と女は白いほど良い

解《かい》語《ご》の花《はな》

出典：『開元天宝遺事（かいげんてんぽういじ）』

美人のこと。唐の玄宗（げんそう）皇帝が、楊貴妃（ようきひ）を「蓮（はす）の花がどんなに美しくても言葉を理解する彼女には及ばない」と表現した故事から。

用例 ●彼女は、**解語の花**という言葉がふさわしいほど美しい人です。

類語 ●物言う花／わたもちの観音

傾《けい》国《こく》の美《び》女《じょ》

出典：『漢書（かんじょ）』

絶世の美女。世の男性はもちろん、一国の君主の心を魅了して国を傾けるような美人のこと。「傾国」だけで使われることもある。

用例 ●**傾国の美女**と噂されるだけあって、彼女の美しさは群を抜いています。

類語 ●傾城《けいせい》傾国

才《さい》色《しょく》兼《けん》備《び》

教養、知識、才能に恵まれている上に、美しく整った容姿を兼ね備えている女性のこと。外見も中身も優れた女性をほめるときに用いる。

用例 ● 新婦は、**才色兼備**のすばらしい女性です。／お嬢さんの**才色兼備**ぶりはよく耳にしております。

※祝賀の席で女性をほめるときに使える。

高《たか》嶺《ね》の花《はな》

高い山に咲く美しい花のように、遠くから眺めることしかできない魅力的な人や物のこと。手の届かないような存在の女性や、高価な物をたとえる。

用例 ● A子さんは良家の出身で、僕には**高嶺の花**です。／このカメラはプロ用で値段も高く、私にとっては**高嶺の花**です。

立《た》てば芍薬《しゃくやく》、座《すわ》れば牡丹《ぼたん》、歩《ある》く姿《すがた》は百《ゆ》合《り》の花《はな》

女性の容姿や立ち居ふるまいの美しさを、シャクヤク、ボタン、ユリという美しい花にたとえた言葉。美しい女性をほめたたえるときに用いる。

用例 ● 彼女は**立てば芍薬、座れば牡丹、歩く姿は百合の花**という言葉が似合う美しい女性です。

反対 ● 立てば樽《たる》座れば盥《たらい》

掃《は》き溜《だ》めに鶴《つる》

出典：『柳樽(やなぎだる)』

汚いところやつまらない場所にふつり合いな美しいものが現れるようす。また、その場にふさわしくない優れた人がいること。男性に対して使うこともある。

用例 ● あの部署には美人で優秀な新人が配属され、**掃き溜めに鶴**だともっぱらの評判です。

類語 ● 鶏群《けいぐん》の一鶴《いっかく》

反対 ● 団栗《どんぐり》の背競《せいくら》べ

明《めい》眸《ぼう》皓《こう》歯《し》

出典：『哀江頭(こうとうにかなしむ)』

「明眸」はぱっちりとした明るい瞳、「皓歯」は白くて歯並びのよい歯のことで、美人を表す言葉。女性の美しい顔立ちをほめるときに用いる。

用例 ● **明眸皓歯**の彼女に、一目ぼれしてしまいました。

類語 ● 朱唇《しゅしん》皓歯

心に残る 名言・金言

女子を傲慢にするものはその美貌。

シェークスピア［1564～1616 イギリスの劇作家］

女性が美しさを鼻にかけ、傲慢になることをいましめた言葉。「シェークスピアの言葉と違い、あなたは謙虚ですね」と、美しさと謙虚さを兼ね備えた女性をほめる言葉として使うのもよいだろう。

第5章

人を悪く評価する

- 無芸／無知／無能／平凡
- 小人物／小心者
- 不誠実／ずるい
- 自分勝手
- 強欲／けち
- 嘘つき
- 面白みがない／堅物
- だらしない
- その他

井《い》の中《なか》の蛙《かわず》大《たい》海《かい》を知《し》らず

出典：『荘子(そうじ)』

井戸の中にすむカエルがその井戸のほかに広い海があることを知らないように、人の見識が狭く、世間知らずであることをいう。

用例 ●彼は**井の中の蛙大海を知らず**で、自分の専門分野以外のことには全く知識がありません。

類語 ●井蛙《せいあ》は以《もっ》て海を語るべからず／井の中の蛙

梲《うだつ》が上《あ》がらない

出典：『勧善懲悪孝子誉(かんぜんちょうあくこうしのほまれ)』

上位の者から頭を押さえつけられている、逆境が災いしているといった理由で、いつまでも低い地位にとどまり、出世できずにいること。

用例 ●彼は二十年以上会社に勤めているのに、いまだに**梲が上がらない**ようです。

独《う》活《ど》の大《たい》木《ぼく》

出典：『常盤屋の句合(ときわやのくあわせ)』

ウドの茎は太くても材木としては使えないことから、体ばかり大きくて役に立たない人のたとえ。体格は立派だがぴりっとしたところのない人に対して用いる。

用例 ●押し出しは立派だが、営業成績は最下位。彼はまったく**独活の大木**です。

類語 ●大男総身《そうみ》に知恵が回りかね

反対 ●山椒は小粒でもぴりりと辛い

鬼《おに》の首《くび》を取《と》ったよう

出典●『夕霧阿波鳴渡(ゆうぎりあわのなると)』

大きな手柄を立てたように有頂天になること。周囲はそれほど評価していないのに、本人は得意満面な場合に、皮肉を込めて用いる。

用例●彼はゲームに勝つと、**鬼の首を取ったよう**に自慢するので、周囲から煙たがられています。

親《おや》の光《ひかり》は七《なな》光《ひかり》

出典：『諸道聞耳世間猿(しょどうききみみせけんざる)』

親の社会的信用や財産のおかげで、子どもがいろいろな恩恵を受けること。実力や才能のない子どもが親の力に依存していることを、皮肉を込めて表す言葉。

用例●彼は**親の光は七光**で親のコネを利用して、何とか就職することができました。

類語●親の七光／親の光は七とこ照らす

反対●親の因果が子に報ゆ

器《き》用《よう》貧《びん》乏《ぼう》

何でも人並み以上にうまくこなす器用な人は一つのことに徹底できず、大成できないということ。器用な人が自らを謙遜するときなどに用いる。

用例●彼は何でも無難にこなす料理人ですが、これといえるものがなく、**器用貧乏**との噂です。

類語●多芸は無芸／何でも来いに名人なし

※中途半端な状態を表現する場合にも使える。

呉《ご》下《か》の阿《あ》蒙《もう》

出典：『三国志（さんごくし）』

もともとは中国・呉（ご）の国のばか者という意で、いつになっても学んだ形跡がなく、進歩しない人のこと。逆に、余りに大きく向上したことを驚く場合にも用いる。

用例●彼が十年一日のごとく同じ営業方法を取っているのを見ると、全く**呉下の阿蒙**としかいいようがありません。

類語●旧阿蒙

鱓《ごまめ》の歯《は》ぎしり

出典：『紋尽五人男（もんづくしごにんおとこ）』

無力な人やグループが力んでくやしがること。また、そのようなことをしても自分よりも実力が大きく勝る相手にとっては何の痛手にもならず、無駄だということ。

用例●実力のない彼がいくらいきりたっても、**鱓の歯ぎしり**にしかすぎません。

類語●蟷螂《とうろう》の斧《おの》

猿《さる》の人《ひと》真《ま》似《ね》

自分なりの創意工夫をせずに、他人のしていることをそっくり真似ること。また、そのようなことをする人を批判したり、ばかにしたりするときに用いる。

用例●**猿の人真似**の域にしかない彼の作品は、全く心打つものがありません。

類語●猿が髭《ひげ》を揉《も》む／猿が稗《ひえ》を揉《も》むよう

※日常生活全般でいましめる場合にも使える。

釈《しゃ》迦《か》に説法《せっぽう》

出典：『国性爺合戦(こくせんやがっせん)』

釈迦に仏法を説くように、熟知している人にものを教えようとする愚かさのたとえ。「釈迦に経（きょう）」ともいう。

用例 ● この分野の大家に基礎知識を教えようとするなんて、**釈迦に説法**もいいところです。

類語 ● 河童に水練／猿に木登り／孔子に論語／孔子に学問／仏の前の経を言う

多《た》芸《げい》は無《む》芸《げい》

多くの学問や芸に通じている人は、一つのことを極めることができず、どれも中途半端になる。多芸が災いして無芸に等しくなることを批判する言葉。

用例 ● 彼は幅広く仕事ができるのですが、**多芸は無芸**というべきか、何一つ成功していません。

類語 ● 器用貧乏／何でも来いに名人なし

※中途半端な状態を表したり、批判する場合に使える。

十《とお》で神童《しんどう》、十五《じゅうご》で才子《さいし》、二十《はたち》過《す》ぎては只《ただ》の人《ひと》

幼時にずばぬけた才能があった子どもも、成長すると凡人になってしまうことが多いということ。最後まで経過を見極めることの大切さを表すこともある。

用例 ● **十で神童、十五で才子、二十過ぎては只の人**といわれるように、彼女の創作活動は次第に低調になってきています。

類語 ● 六歳の神童、十六歳の才子、二十歳の凡人

盗《ぬす》人《びと》を捕《とら》らえて縄《なわ》をなう

出典：『毛吹草(けふきぐさ)』

急場をしのげない計画性のなさや、急に準備しても間に合わないことをいう。泥棒をつかまえてから縛る縄を作っていては、泥棒を逃がしてしまうことから。

用例 ● 政府の経済対策は遅きに失しています。まるで**盗人を捕らえて縄をなう**ようなものです。

類語 ● 泥縄《どろなわ》

反対 ● 転ばぬ先の杖《つえ》

箸《はし》にも棒《ぼう》にも掛《か》からぬ

出典：『仮名手本硯高島(かなでほんすずりたかしま)』

小さな箸にも大きな棒にも掛からないように、どうにも手の施しようがなく、取り扱いに困ること。また、取柄がないことを表す場合もある。

用例 ● あの子は非常に反抗的な口ばかりきいて、**箸にも棒にも掛からぬ**という噂です。

類語 ● 縄《なわ》にも蔓《かずら》にも掛からぬ

針《はり》の穴《あな》から天《てん》井《じょう》のぞく

狭い見識で、大きな問題を論じたり広い世間のことを判断したりすること。針で開けたような小さい穴から天井をのぞいても、ほんの一部しか見えないことから。

用例 ● Ａ部長は**針の穴から天井のぞく**ような狭い見識でしか、部下を評価しない人物です。

類語 ● 管《くだ》の穴から天をのぞく／葦《よし》の髄《ずい》から天井を覗《のぞ》く／一斑《いっぱん》を見て全豹《ぜんぴょう》を卜《ぼく》す／井中星《せいちゅうほし》を視《み》る

下《へ》手《た》の考《かんが》え休《やす》むに似《に》たり

出典：『浮世風呂(うきよぶろ)』

下手な人が長い時間考えてもよい手は浮かばず、休んでいるのと同じだということ。囲碁や将棋で長考する人をからかうときなどに用いる。

用例 ● すでに勝敗が見えているのにまだ考えているのですか。**下手の考え休むに似たり**ですよ。

※ビジネスや学校など日常生活全般で使える。

無《む》芸《げい》大《たい》食《しょく》

これといった芸や技術を持たず、才能も劣っているのに、大食であること。またそのような人物のこと。人をばかにしたり、自分を謙遜したりするときに用いる。

用例 ● しばらく彼の生活を観察してきましたが、**無芸大食**としかいいようがありませんね。

類語 ● 酒嚢飯袋《しゅのうはんたい》

論《ろん》語《ご》読《よ》みの論《ろん》語《ご》知《し》らず

出典：『浮世床(うきよどこ)』

論語を読むだけで内容を少しも理解していないこと。書物を表面的に読んで本意を理解しない人や、書物の内容が身に付かず、実行の伴わない人を批判する言葉。

用例 ● 彼は偉そうなことを口では言っているけれど、自分では動こうとしない。**論語読みの論語知らず**だよ。

※学校で理解と実践の大切さを説く場合に使える。

小人物／小心者

羹《あつもの》に懲《こ》りて膾《なます》を吹く

出典：『楚辞(そじ)』

一度の失敗に懲りて、必要以上に用心をするようす。熱い吸い物でやけどをした人が、冷たい料理も息を吹いて冷まそうとするようすにたとえている。

用例 ●何事も慎重すぎるのはよくありません。**羹に懲りて膾を吹く**ようなものです。

類語 ●蛇に噛まれて朽縄《くちなわ》に怖《お》じる／黒犬に噛まれて灰汁《あく》の垂れ滓《かす》に怖《お》じる

医《い》者《しゃ》の不《ふ》養《よう》生《じょう》

出典：『風流志道軒伝(ふうりゅうしどうけんでん)』

患者に体のことを口やかましく注意する医者が自分の健康に注意しないように、口先では立派なことを言いながら、自分では実行しないというたとえ。

用例 ●有名な教育評論家のＡ先生は、**医者の不養生**だよ。自分の子どもの教育には全く見向きもしないんだから。

類語 ●坊主の不信心／紺屋《こうや》の白袴《しろばかま》／大工の掘っ立て

犬《いぬ》の遠《とお》吠《ぼ》え

無能な者や臆病者が陰で虚勢を張ったり、相手の批判や悪口をいうこと。面と向かっては何もできないことを軽蔑する意味が込められている。

用例 ●論争に負けたあとに相手の批判をしても、**犬の遠吠え**にしかすぎません。／先生の前ではおとなしいのに、隠れて悪口を言うのは、**犬の遠吠え**だと思います。

燕《えん》雀《じゃく》安《いづく》んぞ鴻《こう》鵠《こく》の志《こころざし》を知《し》らんや

出典：『史記(しき)』

小人物には大人物の考えや志はわからないということ。「燕雀」は小さい鳥、「鴻鵠」は大きい鳥のことで、それぞれを小人物、大人物にたとえている。

用例 ●彼女のような了見の狭い人に、この事業の意義は理解できないでしょう。**燕雀安んぞ鴻鵠の志を知らんや**です。

類語 ●燕雀何《なん》ぞ大鵬《たいほう》の志を知らんや

お山《やま》の大《たい》将《しょう》

小さな世界やつまらない集まりでトップとなり、いばり散らしているようす。また、成功にうぬぼれている器の小さな人間のことをいう。

用例 ●彼は偉そうにしていますが、しょせんは**お山の大将**でしかありません。

類語 ●お山の大将俺一人／お山の大将空《から》威《い》張《ば》り

毛《け》を吹《ふ》いて疵《きず》を求《もと》む

出典：『韓非子（かんぴし）』

他人のささいな欠点や隠しごとをあばき立てようとすること。また、そうすることで、かえって自らの欠点をさらけ出す結果になることをいう。

用例 ●彼の人物評価はいつも**毛を吹いて疵を求む**ようなところがあるので、注意が必要です。

類語 ●藪《やぶ》をつついて蛇を出す

反対 ●大目に見る

虎《とら》の威《い》を借《か》る狐《きつね》

出典：『戦国策(せんごくさく)』

弱い人間が権勢のある者を笠に着て、勝手気ままに振る舞うこと。また、そのようにしていばる人をたとえる。

用例 ● 有名な作家の友人だとお高くとまっている彼女は、**虎の威を借る狐**に見えます。

類語 ● 晏子《あんし》の御者《ぎょしゃ》

張《はり》子《こ》の虎《とら》

見かけは強そうに虚勢を張っていても、本当は弱いこと。また、主体性を持たずにただうなずくだけの人や、首を振るくせのある人を皮肉っていうこともある。

用例 ● あの役員は、社長の意見にうなずくだけの**張子の虎**です。／優れたスタッフがそろっていても、チームワークのない部署は**張子の虎**でしかありません。

人《ひと》の褌《ふんどし》で相撲《すもう》を取《と》る

他人に便乗したり、他人の持ち物をうまく利用したりして、自分の利益を得ようとすること。他人を利用する利己的な行いをいましめるときなどに用いる。

用例 ● 彼の今回の企画は、**人の褌で相撲を取る**ようなところが多く、感心しません。

類語 ● 人の牛蒡《ごぼう》で法事する／舅《しゅうと》の物で相婿《あいむこ》もてなす／他人の念仏で極楽参り

不誠実／ずるい

後《あと》足《あし》で砂《すな》をかける

犬や馬が走り去るとき土や砂をはね上げていくように、世話になった人の恩義に感謝するどころか、去り際に迷惑や損害を与えることをいう。

用例 ● 社内での立場を失った彼女は、**後足で砂をかける**ようにして会社を辞めていきました。

類語 ● 恩を仇《あだ》で返す／獅《し》子身中《ししんちゅう》の虫／城狐《じょうこ》社《しゃ》鼠《そ》

反対 ● 立つ鳥跡を濁さず

後《うし》ろ指《ゆび》を指《さ》される

出典：『義経記（ぎけいき）』

陰で悪口を言われること。また、他人に悪く言われるような行いをすること。「後ろ指」には、非難やあざけりの意が込められている。

用例 ● この問題の解決のために彼が取った手段を見れば、彼が**後ろ指を差される**としても仕方ありません。

海《うみ》千《せん》山《やま》千《せん》

出典：『生写朝顔話（しょううつしあさがおばなし）』

長い人生経験を積む間に世の中の裏も表も知りつくした、したたかで一筋縄ではいかない人のこと。海に千年、山に千年すんだ蛇が龍になるという伝説から。

用例 ● 彼は、いくつもの会社で営業を担当し、優秀ではありますが、**海千山千**の人物だともっぱらの噂です。

類語 ● 海に千年山に千年／煮ても焼いても食えぬ

恩《おん》を仇《あだ》で返《かえ》す

人から受けた恩に対して感謝するどころか、かえって危害を加えるような仕打ちをすること。恩人に害を与える人やそのような行動を非難するときに用いる。

用例 ●君は就職の際世話になった人に迷惑をかけ、**恩を仇で返す**つもりなんですか。

類語 ●情《なさけ》を仇で返す／後足で砂をかける

反対 ●恩を以《もっ》て怨みに報《むく》いる／仇を恩で報ずる

木《き》で鼻《はな》を括《くく》る

出典：『妹背山婦女庭訓(いもせやまおんなていきん)』

相談や依頼の相手が、ひどく冷淡な態度であったり、無愛想な対応をするようす。相談した側が相手の白々しい対応に不満を述べるときなどに用いる。

用例 ●相談窓口へ行き事情を説明しましたが、**木で鼻を括る**ような応対で腹が立ったよ。

類語 ●拍子《ひょうし》木《ぎ》で鼻をかむ

口《くち》八《はっ》丁《ちょう》手《て》八《はっ》丁《ちょう》

話をするのも仕事をするのも、非常に達者であることのたとえだが、言動があまり信用できない相手に用いることが多い。「口も八丁、手も八丁」ともいう。

用例 ●彼女の**口八丁手八丁**の説明は見事ですが、話がうますぎるとも思います。

類語 ●手八丁口八丁／口も口手も手

鶏《けい》鳴《めい》狗《く》盗《とう》

出典：『史記(しき)』

鶏の鳴きまねをしたり、狗（いぬ）のまねをして盗みをするような品性が卑しく、小細工の得意な人間のこと。転じて、一見くだらない能力でも役に立つことをいう。

用例 ● 彼のやることすべてが**鶏鳴狗盗**といってもいいすぎではないと思います。

類語 ● 函谷関《かんこくかん》の鶏鳴

巧《こう》言《げん》令《れい》色《しょく》鮮《すくな》し仁《じん》

出典：『論語(ろんご)』

言葉を巧みに操り、人の気をそらさないように顔色や表面を取りつくろっている人に、誠意のある人物は少ないということ。

用例 ● 彼は話がうまく、信奉者も多いようですが、**巧言令色鮮し仁**ともいいます。彼の人格には疑問があります。

類語 ● 花多ければ実少し

叩《たた》けば埃《ほこり》が出《で》る

出典：『武玉川(むたまがわ)』

どんな人でもその過去や身辺を細かく調べていくと、表面に出ていない弱点や、やましいところが見つかるものだというたとえ。

用例 ● 人々の手本のようにいわれている彼ですが、実は**叩けば埃が出る**ような人物です。

類語 ● 垢《あか》は擦《こす》るほど出る、粗《あら》は探すほど出る／新しい畳でも叩けばごみが出る

憎《にく》まれ子《ご》世《よ》に憚《はばか》る

出典：『毛吹草(けふきぐさ)』

誰からも憎まれるような人物は、社会に出ると権勢をふるい、出世するものだということ。納得しがたい世の現実を、ユーモアを込めて表す言葉。

用例●あんなに悪い奴が政治家になって権力を握るなんて、まさに**憎まれ子世に憚る**です。

類語●憎まれ者世に憚る／雑草は早く伸びる／渋柿の長持ち

花《はな》多《おお》ければ実《み》少《すく》なし

出典：『北条氏直時代諺留(ほうじょううじなおじだいことわざどめ)』

花をたくさん付ける木は実は多くならない。転じて、うわべばかり飾る者は、得てして真実みや誠実さが少ないことをいう。

用例●彼女から聞かされた自慢話は、**花多ければ実少なし**という印象でした。

反対●巧言令色鮮《こうげんれいしょくすくな》し仁《じん》

出典解説【中国の作品】

晋書（しんじょ）

関連ページ→9、22、30、92、94

晋の歴史について記された書。646年成立。唐の太宗《たいそう》の勅命により、房玄齢《ほうげんれい》、李《り》延寿《えんじゅ》らが編んだ。130巻。中国の正統な歴史書とされる「正史」に数えられる。

自分勝手

我《が》田《でん》引《いん》水《すい》

自分の都合や利益だけを考えたり、自分勝手にことを運んだりすること。自分に都合のよい理屈をつくり出すという意味で使うこともある。

用例●彼の考えは**我田引水**に傾きすぎています。／わが社と合併したいというA社の提案は、**我田引水**としか思えません。

類語●手前勝手

苦《くる》しい時《とき》の神《かみ》頼《だの》み

信仰心のない人が、困難に遭ったときだけ神仏に祈って助けを求めること。また、普段は付き合いの悪い人が困ったときにだけ人に助けてもらおうとすること。

用例●普段勉強もろくにしない彼が受験前に願かけとは。**苦しい時の神頼み**とはこのことだね。

類語●困った時の神頼み

※努力の大切さを説く場合に使える。

心に残る 名言・金言

あまり他人の同情を求めると、
軽蔑という景品がついてくる。

ショー［1856～1950 イギリスの劇作家］

人間の同情心は自然にわき起こってくるものであり、他人に無理強いすると、軽蔑されて逆効果である。自分の都合ばかり優先して他人に甘えないように注意を促すときに使う。

強欲／けち

色《いろ》気《け》より食《く》い気《け》

異性への興味より食欲を満たすことを優先すること。転じて、見栄や外見より実利を取ること。多くは、自分や身内の状態をユーモアや謙遜の意を込めつつ表す。

用例●年頃のわが子ですが、まだ**色気より食い気**のようです。

類語●花より団子

転《ころ》んでもただでは起《お》きぬ

出典：『浮世風呂(うきよぶろ)』

失敗してもその失敗から利益をつかもうとすること。もともとは欲深さを表す言葉だったが、最近では、失敗にくじけない気概や根性をたとえることもある。

用例●株で失敗した経験を本にするなんて、まったく**転んでもただでは起きぬ**人ですね。

類語●こけてもただでは起きぬ／転んでも土つかむ

爪《つめ》に火《ひ》を点《とも》す

出典：『西鶴置土産(さいかくおきみやげ)』

非常に貧しい生活を送ることや、極端にけちな暮らしぶりのたとえ。ろうそくや油の代わりに爪に火をつけて明かりとし、倹約したという故事から。

用例●株で大もうけしたはずの彼が**爪に火を点す**ような生活をしているなんて。全くおかしな人だよ。

大《おお》風《ぶ》呂《ろ》敷《しき》を広《ひろ》げる

現実とかけ離れた、夢のようなことをいうこと。実力に見合わないような大きなことをいったり、やろうとすることのたとえ。

用例 ●みんなの手前、いい格好をしようとして、**大風呂敷を広げて**いましたが、彼のいっていたことはほとんど嘘です。

類語 ●針小棒大《しんしょうぼうだい》／誇大妄想《こだいもうそう》

臭《くさ》い物《もの》に蓋《ふた》

出典：『双蝶々曲輪日記(ふたつちょうちょうくるわにっき)』

不正や醜聞など自分にとって都合の悪い事実が世間に知られないよう、一時しのぎの手段で隠そうとすること。「臭い物に蓋をする」ともいう。

用例 ●悪者が口裏を合わせて、**臭い物に蓋**をしようとしています。／問題の業者は不祥事が明るみに出ないように内々に処理し、**臭い物に蓋**で事態を収拾しようとしています。

舌《した》の根《ね》の乾《かわ》かぬ内《うち》

出典：『川中島東都錦絵(かわなかじまあずまのにしきえ)』

いい終わるか終わらないかの間や、何か発言したあとのほんの短い時間を表す言葉。前の発言とは異なる言動を非難するときに用いる。

用例 ●謝罪した**舌の根の乾かぬ内**に、同じ過ちを繰り返すなんて、彼は全く信用できません。

類語 ●口の下から

針《しん》小《しょう》棒《ぼう》大《だい》

出典：『甲陽軍艦(こうようぐんかん)』

針ほどの小さな取るに足らないことを、いかにも棒のように大げさにいうこと。実体よりもはるかに大きく物事を吹聴する行為を、批判するときなどに用いる。

用例 ● 彼の言葉はいつも**針小棒大**だから、むやみに騒ぎ立てないほうがよいでしょう。

類語 ● 針ほどのことを棒ほどに言う／話半分／大風呂敷を広げる

二《に》枚《まい》舌《じた》を使《つか》う

前の発言と食い違うことや、矛盾することを平気で言うこと。また、嘘をつくこと。だまされたと感じた人が相手を非難するときなどに用いる。

用例 ● A君は上司と友人とで全く逆の話をし、**二枚舌を使う**と批判されています。

類語 ● 一口両舌《いっこうりょうぜつ》

猫《ねこ》を被《かぶ》る

特定の人の前では本性を隠し、いかにもおとなしそうに見せかけること。また、事情などを知っているくせに知らないふりをすること。

用例 ● 彼女は改まった席では**猫を被って**いますが、普段は気性の荒さを隠そうとしません。

類語 ● 猫被り／仮面を被る／皮を被る

面白みがない／堅物

鰯《いわし》の頭《あたま》も信心《しんじん》から

出典：『毛吹草(けふきぐさ)』

イワシの頭のようなつまらない物でも、信心の対象とする人にとってはとてもありがたく思えるということ。物事を頑固に信じている人をからかうときに用いる。

用例 ● 彼の実践している健康法はあまり効き目がないと思うけど、**鰯の頭も信心から**というからね。

類語 ● 鰯の首も信心から／鰯の頭も観音様

四《し》角《かく》四《し》面《めん》

きちょうめんで、大変まじめなこと。堅苦しくて融通がきかず、面白みがないこと。人の性格や態度、物事の雰囲気を表すときに用いる。

用例 ● 彼はまじめすぎる性格で、物事を**四角四面**にとらえる傾向があります。

反対 ● 融通《ゆうずう》無《む》碍《げ》

杓《しゃく》子《し》定《じょう》規《ぎ》

一つの基準や形式に物事を強引に当てはめて、取り行おうとすること。基準や形式が実情に合っていないことを批判するときにも用いる。

用例 ● 社長が、このまま**杓子定規**の経営姿勢を続けていたら、会社全体に、その悪影響が及ぶものと懸念されます。

梃《て》子《こ》でも動《うご》かない

どんな手段を用いてもその場から動かないということ。決意や信念が固く、他人から何をいわれても変えようとしないようす。よい意味でも悪い意味でも用いる。

用例●いったん言い出した以上**梃子でも動かない**というところが彼の欠点といえるでしょう。／母は一度決心したら**梃子でも動かない**ところがある人です。

馬《ば》鹿《か》の一《ひと》つ覚《おぼ》え

愚か者が、覚えた一つのことを何度も繰り返すこと。いつも同じことをいう人をからかったり、ばかにしたりするときに用いる。

用例●ここの受付の対応がワンパターンなのがいつも気になります。**馬鹿の一つ覚え**としかいいようがありません。

類語●能無しの能一つ

花《はな》より団《だん》子《ご》

出典：『新撰犬筑波集(しんせんいぬつくばしゅう)』

風流や外見より、実益や実質が大切だということ。また、風流を楽しむ感性がないこと。庶民の現実主義的な気風を表す言葉。

用例●彼は**花より団子**の人で、金もうけを人生最大の楽しみにしているような人物です。

類語●花の下より鼻の下／色気より食い気／名を捨てて実《じつ》を取る

遠《とお》きを知《し》りて近《ちか》きを知《し》らず

出典：『淮南子(えなんじ)』

遠くのことはよく知っているが、身近なことは案外知らないものだということ。また、他人のことはよく気付くが、自分のことは何もわからないという意もある。

用例●病気診断の大家が、自分の自覚症状に気付かないなんて、**遠きを知りて近きを知らず**とはこのことです。

類語●灯台下《もと》暗し

病《やまい》、膏《こう》肓《こう》に入《い》る

出典：『春秋左氏伝(しゅんじゅうさしでん)』

元来は治る見込みのない重病になることを指した。転じて、趣味や道楽にのめり込みどうしようもなくなることをいう。「肓」を「盲」と誤らないように注意する。

用例●**病、膏肓に入る**といいますが、ギャンブル好きの彼は、ついに仕事を休んでまで行くほどになってしまいました。

出典解説【中国の作品】

戦国策（せんごくさく）

関連ページ→44、198、246、247、271、275

前漢の劉向《りゅうきょう》が編んだ歴史書。BC6年頃成立。33編。群雄割拠の戦国時代に、自身の戦略・術策を説いて諸国をめぐった遊説家の言論活動や知略について、国別に収録している。格言・名言も多く含まれ、処世の機知に富む。

痘痕《あばた》も靨《えくぼ》

出典：『廓の花笠(くるわのはながさ)』

相手を好きになってのぼせ上がると、欠点や醜いところも長所や美しいことに思えること。天然痘のあとですら、かわいいえくぼに見えることにたとえている。

用例● 彼女が彼に夢中になるのは結構ですが、**痘痕も靨**では困ります。

類語● 惚《ほ》れた欲目《よくめ》／愛屋烏《あいおくう》に及ぶ

反対● 坊主憎けりゃ袈裟《けさ》まで憎い

英《えい》雄《ゆう》色《いろ》を好《この》む

英雄といわれる人物は何事にも積極的で精力的であり、女性を好む傾向も旺盛であることが多いという意味。著名人の女性関係を噂するときなどに用いる。

用例● **英雄色を好む**といわれるように、彼は大物だけあって、女性の方面も大変精力的だという噂です。

金《きん》時《とき》の火《か》事《じ》見《み》舞《ま》い

顔が真っ赤になった人をからかう言葉。「金時」は金太郎のことで、赤ら顔の金太郎が火事見舞いに行き、さらに顔が赤くなることにたとえている。

用例● 彼女に告白されたときの彼の顔といったら、まったく**金時の火事見舞い**でした。

類語● 猿の火事見舞い／満面朱《まんめんしゅ》をそそぐ

蓼《たで》食《く》う虫《むし》も好《す》き好《ず》き

出典：『縄綯(なわない)』

辛くておいしいとは思えないタデの葉を好んで食べる虫もいる。同様に、人の好みもいろいろだということ。物好きなことを、ユーモアをこめて表現する言葉。

用例 ● **蓼食う虫も好き好き**とはいいますが、あんなに気の強い女のどこがいいのでしょうか。／**蓼食う虫も好き好き**とはいえ、彼の好みは偏りすぎていると思います。

目《め》の上《うえ》の瘤《こぶ》

出典：『もみぢ笠(もみじがさ)』

目障りで邪魔になる人や物のたとえ。目の上にこぶがあると、気になってうっとうしく感じることから。とくに、自分より地位や能力が上の人をいうことが多い。

用例 ● すぐに揚げ足を取る彼は、僕にとって**目の上の瘤**です。

類語 ● 目の上のたん瘤

スピーチが光る　英語のことわざ

Love is blind.

恋は盲目。

恋に陥ると、人は理性を失い、相手の欠点が見えなくなってしまうという意味。日本にも、「恋は思案の外」（p.127）という類似のことわざがある。古今東西、恋が人の眼力を鈍らせることは定説であるようだ。

出典解説【中国の作品】

● 宋史（そうし）

関連ページ →99、116、229、233

宋代（960～1279年）の歴史書。1345年成立。496巻。元の托克托《たくこくたく》らが勅命を受けて編纂した。300年余にわたる宋の歴史を紀伝体で記述し、正史のなかで最も膨大な書となっている。

● 荘子（そうし）

関連ページ →97、159、190

戦国時代（BC403～BC221年）の思想家、荘子《そうし》とその門人の論説集。『南華真経《なんかしんきょう》』ともいい、道家の代表的書物である。現行33編のうち7編が荘子の作で、ほかは後人が追加したとされる。多くの寓話を通して、無為自然の境地に真の人間の自由があると説く。禅宗の形成にも大きな影響を与えた。

● 孫子（そんし）

関連ページ →157、221

中国で最も古いとされる兵法書。呉の孫武《そんぶ》著。BC5世紀～4世紀頃に成立か。作戦、謀攻、軍形、行軍などの13編について、後世にも通用する合理的な戦術・戦法が簡潔な文章で説かれている。また人生全般やビジネスにも適用できる名言が数多く含まれており、愛読者も多い。

第6章

世の中・生き方を表す

- 善悪
- 比較／二者のバランス
- 勝ち負け
- 世の中の道理
- 人間
- 人生
- 処世術
- 態度の変化・逆転
- 状況の変化・逆転
- 思惑ちがい
- 障害／邪魔
- たくらみ

善　悪

悪《あく》事《じ》千《せん》里《り》を走《はし》る

出典：『曽我物語(そがものがたり)』

悪い行いや悪い評判はたちまち広まるものだということ。よい評判はなかなか世間に知られないという意の「好事門を出でず」と対で用いられることもある。

用例 ● **悪事千里を走る**というように、A氏の不正はまたたく間に世間に知れ渡りました。

類語 ● 悪事千里を行く

※日常生活全般でいましめる場合に使える。

悪《あっ》貨《か》は良《りょう》貨《か》を駆《く》逐《ちく》する

出典：英語のことわざ "Bad money drives out good."

質の悪い貨幣が質のよい貨幣を市場から追い出し、結局悪貨だけが流通するようになること。転じて、悪がはびこれば善が滅びることをいう。

用例 ● **悪貨は良貨を駆逐する**というように、質の悪い商品がはびこり、良品が排除されるのは考えものです。

因《いん》果《が》応《おう》報《ほう》

出典：『慈恩伝(じおんでん)』

よい行いにはよい報いが、悪い行いには悪い報いがあるということ。現在では、悪い意味で使われることが多い。

用例 ● 悪事を重ねた**因果応報**で、このありさまです。

類語 ● 自《じ》業《ごう》自《じ》得《とく》／因果の小車《おぐるま》

勝《か》てば官《かん》軍《ぐん》

勝敗と善悪は本来関係ないのに、戦いに勝てば正義とみなされるということ。敗者が不正になるという意味の「負ければ賊軍（ぞくぐん）」を続けていうこともある。

用例 ● 会社内の勢力争いにより、**勝てば官軍**という風潮が強くなっているのは残念なことです。

類語 ● 力は正義なり

天《てん》知《し》る、地《ち》知《し》る、我《われ》知《し》る、子《し》知《し》る

出典：『資治通鑑（しじつがん）』

悪事や不正はいつかは世間に知られるといういましめ。密かにことを運んだつもりでも、天、地、自分、あなたの四者は知っているのだという古い言葉から。

用例 ● **天知る、地知る、我知る、子知る**といいます。このような不正を行ってはいけません。

類語 ● 四知《しち》／天網恢恢疎《てんもうかいかいそ》にして失わず／天網《てんもう》のがれ難し

天《てん》網《もう》恢《かい》恢《かい》疎《そ》にして失《うしな》わず

出典：『老子（ろうし）』

天が張りめぐらせた網の目は粗いように思えるが、悪人を捕り逃がすことはないということ。悪事を犯した者は天罰を逃れることはできないという、いましめ。

用例 ● **天網恢恢疎にして失わず**というように、悪者には必ず天罰が下るものです。

類語 ● 天網恢恢疎にして漏らさず／天網のがれ難《がた》し／天知る、地知る、我知る、子知る／四知

比較／二者のバランス

彼方《あちら》立《た》てれば此方《こちら》が立《た》たぬ

一方にとってよいことでも、もう一方にとっては悪いことであり、両方を満足させるのは困難だということ。通りいっぺんの解決策ではうまくいかない状況を表す。

用例●仕事を優先すれば家庭がおろそかになり、**彼方立てれば此方が立たぬ**状況です。

類語●あなたを祝えばこなたの怨《うらみ》／出《で》船《ふね》に良い風は入り船に悪い／痛し痒し

一《いち》利《り》一《いち》害《がい》

出典：『元史(げんし)』

物事はすべて、一方で利益がある反面、他方では害があるということ。また、ある方法の利益と害が五分五分であり、採用してもうまくいかないことを表す。

用例●ダム建設は治水対策にはなるものの、環境破壊も心配され、**一利一害**です。

類語●一得一失《いっとくいっしつ》／一長一短《いっちょういったん》

※ビジネスなど日常生活全般で使える。

一《いっ》長《ちょう》一《いっ》短《たん》

長所もあるが、短所もあわせもっていること。よい面と悪い面の両方があるために、物事がうまく運ばないことを表す。「一短一長」ともいう。

用例●どの提案も**一長一短**であり、一つを採択することは困難です。

類語●一得一失《いっとくいっしつ》／一利一害《いちりいちがい》

※ビジネスなど日常生活全般で使える。

雲《うん》泥《でい》の差《さ》

出典：『後漢書(ごかんじょ)』

天の雲と地の泥のように、非常に大きな差があること。また、違いがはなはだしく、かけ離れていること。

用例●現在の彼の技量と若かりしころのそれとを比べると、**雲泥の差**があります。

類語●月と鼈《すっぽん》／雲泥万《ばん》里《り》／霄壤《しょうじょう》の差

※ビジネスなど日常生活全般で使える。

唇《くちびる》亡《ほろ》びて歯《は》寒《さむ》し

出典：『春秋左氏伝(しゅんじゅうさしでん)』

助け合っているものの一方が滅びれば、もう一方も危なくなるということ。唇がなくなると歯がむきだしになってしまうことにたとえている。

用例●密接な関係にある両国は、**唇亡びて歯寒し**というように、片方に危機が及べば他方も危うくなるでしょう。

類語●唇亡ぶれば歯寒し／唇《しん》歯《し》輔《ほ》車《しゃ》

月《つき》と鼈《すっぽん》

出典：『蘆屋道満大内鑑(あしやどうまんおおうちかがみ)』

似ているところはあるものの、実際は比べものにならないほど違うこと。月もスッポンの甲羅もどちらも丸いが、両者は全く異なることにたとえている。

用例●A君の企画書とB君の企画書は、一見同じように見えますが、内容は**月と鼈**です。

類語●提灯に釣り鐘／雲泥《うんでい》の差／雲泥万《ばん》里《り》／霄壤《しょうじょう》の差

不《ふ》易《えき》流《りゅう》行《こう》

永遠に変わらないものと、時とともに変化するものの二つが一体となって、初めて芸術が完成すること。松尾芭蕉（まつおばしょう）の俳諧理念の一つ。

用例 ● 何事も**不易流行**、変化と不変の双方を見据えた上でなければ、この企画は成功しないでしょう。

諸《もろ》刃《は》の剣《つるぎ》

出典：『雪女五枚羽子板(ゆきおんなごまいはごいた)』

両側に刃がついている剣は自分も傷つけやすいのと同様に、一方では利点があるが、他方では危険が伴うことのたとえ。「諸刃」を「両刃」と書くこともある。

用例 ● ほかの市町村との合併は、利害が相反する面が多くあり、**諸刃の剣**です。

類語 ● 功罪《こうざい》相《あい》半《なか》ばする

※ビジネスなど日常生活全般で使える。

出典解説【中国の作品】

● 孟子（もうし）

関連ページ→54、148、157、181、271

戦国時代の思想家、孟子（BC372年頃～BC289年）の言行を弟子たちがまとめた書。7編。性善説を根拠とし、儒教の最高道徳「仁《じん》」に基づく政治を説いた。儒教の基本書「四書」の一つとされる。

生《い》き馬《うま》の目《め》を抜《ぬ》く

出典：『鴉鷺合戦物語(あろかっせんものがたり)』

生きている馬の目をくりぬくほどのすばやさで、他人を出しぬき、うまく立ち回ったり、利益を得たりすること。また、油断もすきもないことのたとえ。

用例 ● **生き馬の目を抜く**ようなことでもしないと、競争社会を勝ちぬくことはできません。

類語 ● 生き牛の目を抜く／生き牛の目をくじる

栄《えい》枯《こ》盛《せい》衰《すい》

出典：『当世書生気質(とうせいしょせいかたぎ)』

あるときは盛んに栄えても、いつの日にか衰え、滅びるということ。隆盛と衰退が交互に繰り返される人の世のありさまを表す言葉。

用例 ●「ローマの平和」をうたったローマ帝国の**栄枯盛衰**もまた、歴史という巨大な流れの中のひとコマに過ぎません。

類語 ● 盛衰栄枯／栄枯常《つね》なし

虚《きょ》虚《きょ》実《じつ》実《じつ》

お互いに策略や秘術を繰り出して、必死で戦うようす。また、交渉などで本音と建前をおりまぜながら、互いに腹の中を探り合うさま。

用例 ● 次期社長の椅子をめぐって、**虚虚実実**のかけひきが行われています。／少しでも有利な条件で契約しようと、**虚虚実実**のやりとりが繰り広げられました。

三《さん》度《ど》目《め》の正《しょう》直《じき》

物事は一度目、二度目で思わしくない結果であっても、三度目はうまくいくということ。また、同じことで三度失敗することは許されないということ。

用例 ● **三度目の正直**で、志望校にやっと合格することができました。

類語 ● 三度目は定《じょう》の目

※日常生活全般で励ます場合にも使える。

弱《じゃく》肉《にく》強《きょう》食《しょく》

出典：『韓愈(かんゆ)』

弱い者の犠牲の上に、強い者だけが生き残って栄えること。また人間社会において、弱者や下位者は上位の力にかなわず、併せ含まれていくことをいう。

用例 ● 大手スーパーが次々と小売店を吸収・合併し、**弱肉強食**の様相を呈しています。

類語 ● 優勝劣敗

勝《しょう》負《ぶ》は時《とき》の運《うん》

出典：『太平記(たいへいき)』

勝負の結果はそのときの運･不運によっても左右され、必ずしも強い者が勝つとは限らないこと。勝負に臨むときの心構えとして、また敗者を慰めるときなどに用いる。

用例 ● **勝負は時の運**ですから、明らかに実力が勝るチームが苦戦することも数多くあります。

類語 ● 勝敗は時の運

其《そ》の疾《はや》きこと風《かぜ》の如《ごと》く、其《そ》の徐《しず》かなること林《はやし》の如《ごと》し

出典:『孫子(そんし)』

孫子の兵法書から取った言葉で、進むときは風のように速く進み、時機を待つときは林のように静かに待機せよという意味。

用例 ● **其の疾きこと風の如く、其の徐かなること林の如し**というように、スポーツでは攻守の切り替えが勝利へとつながります。

多《た》勢《ぜい》に無《ぶ》勢《ぜい》

出典:『平家物語(へいけものがたり)』

少人数が多人数に対抗しても、かなわないということ。数の多い・少ないで勝負が決まりがちな世の中を、皮肉を込めて表す言葉。

用例 ● 少数派の意見も取り入れてほしいと主張しましたが、**多勢に無勢**で、その提案は否決されてしまいました。

類語 ● 衆寡《しゅうか》敵《てき》せず

逃《に》げるが勝《か》ち

出典:『譬喩尽(たとえづくし)』

場合によっては戦わずに逃げ、相手に勝ちを譲るほうが、結果的に勝ちにつながるということ。また、愚かな争いは避けるべきであるという意もある。

用例 ● **逃げるが勝ち**ともいいますし、ひとまず一歩引き、相手が冷静になるのを待ちましょう。

類語 ● 負けるが勝ち/三十六計《さんじゅうろっけい》逃げるに如《し》かず

安《あん》寧《ねい》秩《ちつ》序《じょ》

社会の安全・秩序が保たれており、世の中が平和であること。乱れや不安のない社会や国家のことをいう。

用例 ●市民が余暇を自由に楽しめるのも、**安寧秩序**の世のおかげです。／この制度は、公共の**安寧秩序**を保つことを目的としています。

一《いち》事《じ》が万《ばん》事《じ》

出典：『曽我五人男(そがごにんおとこ)』

一つのことを見れば、ほかのことまで推量できるということ。よくない面を見てほかも同じと考えるような、悪い意味で用いることが多い。

用例 ●今日、重要な会議がまた延期になってしまいました。この会社は意思決定が遅く、**一事が万事**、この調子なのです。

類語 ●一事を以《も》って万端《ばんたん》を知る

一《いち》度《ど》ある事《こと》は二《に》度《ど》ある

一度起きると、同じようなことがまた起こるものであるということ。多くは、好ましくないことが連続して起こることを指し、油断しないよう、いましめるときに用いる。

用例 ●**一度ある事は二度ある**といいますし、以前のような間違いがないように注意しなさい。

類語 ●二度あることは三度ある／朝にある事は晩にもある

入《い》り船《ふね》あれば出《で》船《ふね》あり

出典：『黒手組曲輪達引(くろてぐみくるわのたてひき)』

港に入ってくる船もあれば、出て行く船もあるのと同様に、世の中は一箇所にとどまることなく、定まらないものであるということ。

用例 ●**入り船あれば出船あり**というように、この世には多種多様な事象が去来します。

類語 ●一去一来《いっきょいちらい》／片山《かたやま》曇れば片山日照る

雨《う》後《ご》の筍《たけのこ》

雨のあとはタケノコがたくさん生えるのと同様に、同じような物事が次から次へと発生したり、起こったりすること。そのような状況を、皮肉を込めて表すこともある。

用例 ●ある商品が売れ出すと、**雨後の筍**のように類似品が発売される光景はよく見られます。／女性議員が一世を風靡《ふうび》すると、選挙では**雨後の筍**のように女性候補が乱立しました。

鵜《う》の目《め》鷹《たか》の目《め》

出典：『根無草(ねなしぐさ)』

タカや鵜が眼光鋭く獲物を狙うように、人が熱心に探しものをするときのようすをいう。とくに、他人の欠点や弱点を探すようすをたとえることが多い。

用例 ●**鵜の目鷹の目**になって、金もうけになる商売を探す人も世の中にはたくさんいます。

類語 ●鵜の目になって探す

※人を悪く評価するときにも使える。

傍《おか》目《め》八《はち》目《もく》

出典：『傾城浅間獄(けいせいあさまがだけ)』

当事者よりも、第三者のほうが物事の是非や損得がよくわかるということ。「傍目」は、はたから見るという意味で、「岡目」と書くこともある。

用例 ● A氏とB氏の議論は、**傍目八目**でどちらが有利かすぐ分かります。

類語 ● 傍観八目／他人の正目《まさめ》

金《きん》科《か》玉《ぎょく》条《じょう》

出典：『揚雄(ようゆう)』

人が守るべき重要な法律・規則や、絶対的なよりどころとなるもの。人が固執する決まりや主義・主張をたとえていう。

用例 ●先代の教えを**金科玉条**と心得て、仕事にあたっています。

類語 ●金科玉律《きんかぎょくりつ》／教条主義

光《こう》陰《いん》矢《や》の如《ごと》し

出典：『曽我物語(そがものがたり)』

月日が過ぎるのは矢が飛ぶように早いということ。また、いったん過ぎてしまった月日は、飛び去った矢のように戻ってこないということ。

用例 ●**光陰矢の如し**で、かれこれ十年経ちます。

類語 ●光陰人を待たず／歳月人を待たず

※ビジネスや会社で、時間の大切さを説く場合などに使える。

歳《さい》月《げつ》人《ひと》を待《ま》たず

出典：『雑詩(ざっし)』

年月は人の都合などお構いなしに、どんどん過ぎ去るということ。若者に「勉学に励みなさい」と激励するときにも用いる。

用例 ● **歳月人を待たず**とも申します。時間を大切にして、今後も勉学に励んでください。

類語 ● 光陰《こういん》人を待たず／光陰《こういん》矢の如《ごと》し／一寸《いっすん》の光陰軽《こういんかろ》んずべからず／盛年《せいねん》重《かさ》ねて来らず

事《じ》実《じつ》は小《しょう》説《せつ》よりも奇《き》なり

出典：『ドン・ジュアン』

この世の中で実際に起こる事件や出来事のほうが、虚構である小説よりも奇妙で不可解なことが多く、興味深いということ。

用例 ● **事実は小説よりも奇なり**といいますが、油に水ほど性格の違う二人が夫婦だなんて驚きです。／被害者と思われていた人物が実は犯人だったとは、**事実は小説よりも奇なり**です。

柔《じゅう》能《よ》く剛《ごう》を制《せい》す

出典：『三略(さんりゃく)』

柔軟なものはしなやかさを武器に固くて強靭なものに勝つことから、弱いものが強いものを倒すことをいう。柔軟さに秘められた力を評価するときに用いる。

用例 ● **柔能く剛を制す**といいますし、商売には強さだけでなく、柔軟性が必要です。

類語 ● 柳に雪折れは無し

※人を良く評価する場合にも使える。

諸《しょ》行《ぎょう》無《む》常《じょう》

出典：『涅槃経(ねはんぎょう)』

この世のすべてのものや現象は常に変化し、生死を繰り返し、永遠不変ではないということ。移りゆく世のはかなさや、人の死を嘆くときなどに用いる。

用例 ● 十年前にあれほどの繁栄を極めていた会社が倒産するとは、**諸行無常**の感があります。

類語 ● 万物流転《ばんぶつるてん》／盛者必衰《じょうしゃひっすい》

住《す》めば都《みやこ》

出典：『松の葉(まつのは)』

どんなに不便な土地でも、そこに長く住んでいるうちになじんできたり、愛着がわいてきたりして、都のように住みよくなるということ。

用例 ● **住めば都**で、多少の不便はありますが、ほかの土地へ移りたいとは思わなくなりました。

類語 ● 地獄も住処《すみか》

反対 ● 住まば都

遠《とお》くの親類《しんるい》より近《ちか》くの他人《たにん》

出典：『島鵆月白浪(しまちどりつきのしらなみ)』

親類でも遠くに住んでいたのでは、いざというときに役に立たない。他人でも近くにいる人のほうが頼りになるということ。

用例 ● 大災害に被災したとき、ご近所の方の親切と温かさに触れ、**遠くの親類より近くの他人**だと実感しました。

類語 ● 遠き親より近き隣／遠水近火《えんすいきんか》を救わず

所《ところ》変《か》われば品《しな》変《か》わる

出典：『新小夜嵐(しんさよあらし)』

場所が変われば、同じものでも名称や使用方法が異なること。また、その土地土地で風習、習慣が異なることをいう。

用例 ● **所変われば品変わる**というように、都会と田舎では生活習慣に大きな違いがあります。
類語 ● 難波《なにわ》の葦《あし》は伊勢《いせ》の浜荻《はまおぎ》
反対 ● 何処の烏《からす》も黒さは変わらぬ

泣《な》く子《こ》と地頭《じとう》には勝《か》たれぬ

出典：『教草女房形気(おしえぐさにょうぼうかたぎ)』

理屈の通じない者や権力者には逆らっても無駄で、ただ従うしかないということ。「地頭」は平安時代に荘園を管理し、権力を握っていた役人のこと。

用例 ● 人事部長のご希望とあらば逆らえません。**泣く子と地頭には勝たれぬ**といいますから。
類語 ● 童《わらべ》と公方人《くぼうにん》には勝たれぬ／主《しゅ》と病《やまい》には勝たれず／地頭に法なし

日《ひ》が西《にし》から出《で》る

この世で絶対に起こり得ないこと。また、物事が全くの正反対であることのたとえ。

用例 ● 頑固者の彼が自分の否を認めることは、**日が西から出る**ようにあり得ないことです。
類語 ● 西から日が出る／鼈《すっぽん》が時を作る

人《ひと》の噂《うわさ》も七《しち》十《じゅう》五《ご》日《にち》

出典：『お初久松袂白絞(おそめひさまつたもとのしらしぼり)』

他人の噂話は七十五日もすれば飽きられ、長続きはしないということ。噂は一時的なものなのであまり気に病まなくてもよいと、励ますときなどに用いる。

用例 ● **人の噂も七十五日**です。人が興味本位であれこれいっていますが、放っておきなさい。

類語 ● 善きも悪しきも七十五日／世の取り沙《さ》汰《た》も七十五日

人《ひと》の口《くち》には戸《と》が立《た》てられず

出典：『最明寺殿百人上埤(さいみょうじどのひゃくにんじょうろう)』

家の戸を閉めるようには人の口を閉めることはできない。噂話や流言が世間に広まるのを防ぐことはできないということ。

用例 ● **人の口には戸が立てられず**ですから、噂が沈静化するまで待つしかありません。

類語 ● 開いた口には戸は立たぬ／世間の口に戸は立てられぬ／下《げ》衆《す》の口に戸は立てられぬ

百《ひゃっ》花《か》繚《りょう》乱《らん》

さまざまな種類の花が美しく咲き乱れること。転じて、優れた業績や人材が、同じ時期に数多く出現することをたとえる。

用例 ● 将来有望なベンチャー企業が次々と誕生し、経済界はまさに**百花繚乱**の状態です。／今年の音楽界は**百花繚乱**という言葉がふさわしいくらい、優れた人材を輩出しました。

待《ま》てば海路《かいろ》の日和《ひより》あり

出典：『俚言集覧(りげんしゅうらん)』

じっと待っていればそのうち状況が好転するから、焦らず、辛抱強くそれを待てという意味。気長に待っていれば航海に適したよい日がやってくることから。

用例 ●**待てば海路の日和あり**で、自分の店を持つという夢がようやくかないました。

類語 ●待てば甘露《かんろ》の日和あり／果報は寝て待て

反対 ●寝ていて牡丹餅《ぼたもち》は食えぬ

無《む》理《り》が通《とお》れば道理《どうり》引《ひ》っ込《こ》む

筋の通らないことでも強引に通用してしまう世の中では、道理にかなった正しいことは行われなくなるということ。矛盾した世の中を批判するときなどに用いる。

用例 ●近頃は法を犯した人が無罪となるような、**無理が通れば道理引っ込む**世の中です。

類語 ●無理も通れば道理になる／道理そこ退《の》け無理が通る

名物《めいぶつ》にうまい物《もの》なし

出典：『宋史(そうし)』

その土地の名産として名が知られている物で、本当にうまい物は少ないということ。転じて、名に必ずしも実が伴わないことのたとえ。

用例 ●**名物にうまい物なし**というように、有名なレストランでも、グルメの舌を本当にうならせる店はめったにありません。

類語 ●名所に見所なし

歴《れき》史《し》は繰《く》り返《かえ》す

出典：英語のことわざ "History repeats itself."

いつの時代も、人間の本質は変わることがない。よって、過去の出来事は同じような経過をたどって、二度三度と繰り返されるものだということ。

用例 ●**歴史は繰り返す**といいます。かつての誤った政策から大恐慌が起こったように、経済が落ち込むことがないかと心配です。

渡《わた》る世《せ》間《けん》に鬼《おに》はない

出典：『五十三駅扇宿附(ごじゅうさんえきおおぎのやどつき)』

世間には鬼のような冷たい人ばかりいるとは限らない。仏のようにやさしく温かい心を持ち、困ったときに助けてくれるような人もいるものだということ。

用例 ●落ち込んでいたときに多くの励ましをいただき、**渡る世間に鬼はない**と実感しました。

類語 ●捨てる神あれば拾う神あり

反対 ●人を見たら泥棒と思え

出典解説【中国の作品】

● **列子**（れっし）

関連ページ → 252

道家の代表的な思想書。『沖虚真経《ちゅうきょしんけい》』ともいい、「杞憂」「朝三暮四」など日本人にもなじみの深い説話が含まれる。作者は戦国時代（BC403～BC221年）の列禦寇《れつぎょこう》とされるが、虚構の人物との説も。

氏《うじ》より育《そだ》ち

出典：『北条氏直時代諺留(ほうじょううじなおじだいことわざどめ)』

人は家系や血筋の良し悪しよりも、その境遇や育ち方のほうが、人間形成に大きく影響するということ。

用例 ● **氏より育ち**というように、相手の家柄より人柄を重視したほうがいいと思います。

類語 ● 生まれつきより育ちが第一

反対 ● 氏《うじ》素性《すじょう》は争われぬ／上知《じょうち》と下愚《げぐ》とは移らず

男《おとこ》は度胸《どきょう》女《おんな》は愛嬌《あいきょう》

男は物事に動じない度胸と思い切りのよさが、女はかわいらしさ、優しさが大切であるということ。「度胸」と「愛嬌」の語呂合わせを面白く表現した言葉。

用例 ● **男は度胸女は愛嬌**というように、男性は男らしく、女性は女らしくといわれたのも昔のことになりました。

類語 ● 男は外回り女は内回り

鬼《おに》が笑《わら》う

予測できない未来のことを述べてもはじまらないということ。見通しが明確ではない希望や、実現が難しいことなどを口にしたときに、それをからかって用いる。

用例 ● 今から来年の売上げの見通しなどを論じて利益の計算などしても、**鬼が笑う**だけです。

類語● 来年の事を言えば鬼が笑う

親《おや》はなくとも子《こ》は育《そだ》つ

出典：『世間胸算用(せけんむなさんよう)』

子どもは親がいなくても、自分の力や他人の善意などでそれなりに成長するものだということ。

用例●**親はなくとも子は育つ**といいます。小さい頃に、両親を事故で亡くした彼も立派な社会人になりました。

類語●子供に飢《き》饉《きん》なし／藪《やぶ》の外でも若竹育つ

女《おんな》心《ごころ》と秋《あき》の空《そら》

秋の空模様と同様に、女性の愛情や気持ちは変わりやすいものだということ。多くは、愛情が冷めたり、愛情の対象がほかに移ったりといった変化をいう。

用例●最近の彼女の態度を見ると、つくづく**女心と秋の空**だね。

類語●女の心は猫の目

反対●男心と秋の空

腐《くさ》っても鯛《たい》

出典：『浮世親仁形気(うきよおやじかたぎ)』

本当に優れているものは、その盛りが過ぎてもそれ相応の価値があるということ。人や物事の現状を腐った鯛にたとえるため、第三者的な批評に限定して用いる。

用例●第一線を退いたとはいえ、師匠の実践指導はかなりのもの。**腐っても鯛**とはこのことです。

類語●千《ち》切《ぎ》れても錦《にしき》／破れても小《こ》袖《そで》

反対●昔千里も今一里

行《こう》雲《うん》流《りゅう》水《すい》

出典：『宋史(そうし)』

空の雲や流れる水のように決まった形がなく、自然に変化すること。また、人が物事にとらわれず、平静な心で自然のままに生きることをいう。

用例●世のしがらみにとらわれず、**行雲流水**のような余生を送りたいと思います。／各地を旅し、多くの名句を詠んだ松尾芭蕉の人生は、まさに**行雲流水**といえるでしょう。

自《じ》業《ごう》自《じ》得《とく》

自分のよくない行いが元で、自分の身に報いを受けること。元来はよい行いによい報いがあるという意味でも用いたが、現在は悪い意味に限定して使う。

用例●遊んでばかりいたために、大学受験に失敗しました。まさに**自業自得**だと思います。

類語●因果応報《いんがおうほう》／身から出た錆《さび》／自縄自縛《じじょうじばく》

知《し》る者《もの》は言《い》わず言《い》う者《もの》は知《し》らず

出典：『老子(ろうし)』

物事を十分知っている人は、軽々しくしゃべらない。逆に、ぺらぺらとしゃべる人に限ってよく知らないものだということ。

用例●**知る者は言わず言う者は知らず**といいます。口数の多い人物の話は話半分で聞いておくべきです。

類語●言う者は知らず知る者は黙《もく》す

大《だい》道《どう》廃《すた》れて仁《じん》義《ぎ》有《あ》り

出典：『老子（ろうし）』

「大道」は人間が自然のままに行う正しい道理の意味。大道がすたれたため、儒教における道徳心である「仁義」が唱えられるようになったという老子の言葉。

用例●思いやりは本来人が自然に身に付けているのではないでしょうか、昨今の社会情勢を見ていると、**大道廃れて仁義有り**のように思われます。

男《だん》女《じょ》七《しち》歳《さい》にして席《せき》を同《おな》じゅうせず

出典：『礼記（らいき）』

七歳になれば、男女をはっきり区別しなければならないということ。一枚のござに男女を一緒に座らせるようなことはしてはいけないという、儒教の道徳から。

用例●本学の教育方針の基本は**男女七歳にして席を同じゅうせず**というところにあります。

類語●男女は自ら授授《じゅじゅ》せず

天《てん》は人《ひと》の上《うえ》に人《ひと》を造《つく》らず、人《ひと》の下《した》に人《ひと》を造《つく》らず

出典：『学問のすゝめ』

人間は生まれながらにして平等であり、人の本質に身分の上下や家柄・職業による差別はないということ。

用例●**天は人の上に人を造らず、人の下に人を造らず**という言葉通り、家柄や財産の大小にかかわらず、人はみな平等です。

名《な》は体《たい》を表《あらわ》す

人や物の名前は、そのものの性質や中身をうまく表していることが多いということ。「体」は、物事の本質や実態の意味。

用例 ●日本古来の動植物の名前は、**名は体を表す**類いのものが多くあります。

類語 ●名詮自性《みょうせんじしょう》

スピーチが光る 英語のことわざ

When in Rome,
do as the Romans do.

ローマにいるときは、ローマ人のようにせよ。

よその土地へ行ったら、その土地の風俗・習慣に従うのが賢明だということ。日本の「郷に入りては郷に従え」（p.45）をはじめ、類似のことわざは中国語やロシア語、ペルシャ語など英語圏以外の地域でも見られる。

All's well that ends well.

終わりよければすべてよし。

物事はその結末が最も大切であるという意味。人の行為も、途中の結果がどうであれ、結果いかんで評価が大きく変わるものだ。最後まで努力を怠らないように注意を促したり、受験生を励ましたりするときに引用するとよいだろう。

人 生

会《あ》うは別《わか》れの始《はじ》め

出典：『墨塗（すみぬり）』

何事にも始めと終わりがあるように、出会えば必ず別れがやってくるものだということ。出会いのあとの別れという、逃れられない世の定めを表す。

用例 ● **会うは別れの始め**だからこそ、今日の出会いを大切にしたいと思います。

類語 ● 会者定離《えしゃじょうり》／愛別離苦

朝《あした》に紅《こう》顔《がん》あって夕《ゆうべ》に白《はっ》骨《こつ》となる

出典：『御文章（ごぶんしょう）』

朝には元気で血色のよい顔をしていても、夕方には死んでしまうこともある。人の一生は短く、生命がはかないことをたとえている。

用例 ● **朝に紅顔あって夕に白骨となる**といいますし、後悔のないように日々生きたいものです。

類語 ● 朝の紅顔夕の白骨

明《あ》日《す》ありと思《おも》う心《こころ》の仇《あだ》桜《ざくら》

出典：『親鸞上人絵詞伝（しんらんしょうにんえことばでん）』

明日見るつもりの桜が嵐で散ることもあるように、今日できることをしないでいると好機を逃すこともある。明日のことさえわからない世の無常をいう言葉。

用例 ● **明日ありと思う心の仇桜**といいますから、今日できることは明日にのばさず、済ましておきましょう。

佳《か》人《じん》薄《はく》命《めい》

出典：『薄命佳人詩(はくめいかじんのし)』

美人は、その美しさゆえに人生が多難で不幸な運命をたどることが多いということ。また、美人は生まれつき病弱で短命であることをいう。

用例 ●**佳人薄命**と申しましょうか、彼女は人生これからという若さで逝ってしまいました。

類語 ●美人薄命／美しい花はすぐ摘まれる

禍《か》福《ふく》は糾《あざな》える縄《なわ》の如《ごと》し

出典：『史記(しき)』

幸福と不幸はより合わせた縄のように表裏一体となっていて、えてして変わるがわるやってくるものだということ。

用例 ●**禍福は糾える縄の如し**ですから、人生悪いことばかりでもなく、いいこともあるでしょう。

類語 ●塞翁《さいおう》が馬／沈む瀬あれば浮かぶ瀬あり

邯《かん》鄲《たん》の夢《ゆめ》

出典：『枕中記(ちんちゅうき)』

人の一生や栄枯盛衰は夢のように一瞬で、はかないものだということ。中国・唐の廬生 (ろせい) という若者がほんの短い間に自分の一生の夢を見た故事から。

用例 ●彼の会社の急成長とその後の没落ぶりは、あたかも**邯鄲の夢**のごとしでありました。

類語● 廬生の夢／一炊《いっすい》の夢／黄梁一炊《こうりょういっすい》の夢／南《なん》柯《か》の夢

子《こ》は三《さん》界《がい》の首《くび》枷《かせ》

出典：『世話尽(せわづくし)』

親が子どものことにとらわれて、一生その自由を失ってしまうことをいう。「三界」は過去・現在・未来の三つの世界のこと。

用例 ● **子は三界の首枷**といわれますが、子を持ってこその幸せもあるものです。

類語 ● 親子は三界の首枷／子宝脛《すね》が細る

塞《さい》翁《おう》が馬《うま》

出典：『淮南子(えなんじ)』

人々の幸不幸は転々とするので、その都度大げさに喜んだり悲しんだりすることはないという教え。「人間万事(にんげんばんじ) 塞翁が馬」ということもある。

用例 ● **塞翁が馬**ともいいます。不運があったからといってあまり気を落とさないでください。

類語 ● 禍福《かふく》は糾《あざな》える縄の如し／沈む瀬あれば浮かぶ瀬あり

時《とき》は金《かね》なり

出典：英語のことわざ "Time is money."

時間は貴重で大切なものであり、その価値は生活に欠かせない金銭に匹敵する。時間を無駄に費やしてはいけないという教え。

用例 ● **時は金なり**といいます。人生を無為に過ごさないためにも、仕事に趣味に打ち込んでいきたいと思います。

※会社や学校で時間の大切さを説く場合に使える。

楽《らく》あれば苦《く》あり

出典：『木間星箱根鹿笛(このまぼしはこねのしかぶえ)』

人生は楽なことばかりではない。楽をしたあとに苦労がある一方で、苦労して報われることもあるという、いましめと慰めの両方を含む言葉。

用例 ● **楽あれば苦あり**です。今は苦しい時期ですが、がんばりましょう。

類語 ● 上り坂あれば下り坂あり／楽は苦の種苦は楽の種

間違えやすい ことわざの解釈

誤用例：

流れに棹さして、反対意見を述べる。

関連ページ → 276

例のように「物事の流れに逆らう」という意で「流れに棹さす」を用いるのは誤り。舟を漕ぎ出すように、勢いに乗ることが正しい意味である。棹一本では到底流れに逆らえないと覚えておこう。

誤用例：

過ぎたるは猶及ばざるがごとし。
過ぎたことはあきらめよう。

関連ページ → 132

「過ぎたるは猶及ばざるが如し」は、出過ぎた行為をいましめることわざ。「過ぎたる」を「過ぎ去ったこと」と勘違いしないように注意したい。

嘘《うそ》も方《ほう》便《べん》

出典：『日月星亨和政談(じつげつせいきょうわせいだん)』

嘘をつくのは悪いことだが、物事を円滑に進めるためには嘘をつかなければならないこともある。嘘のいい訳として用いられる言葉。

用例 ●**嘘も方便**で、その場を何とかしのぎました。
類語 ●嘘をつかねば仏になれぬ／嘘も追従《ついしょう》も世渡り
反対 ●嘘つきは泥棒の始まり

権《けん》謀《ぼう》術《じゅっ》数《すう》

出典：『大学章句序(だいがくしょうくじょ)』

巧妙に人を陥れるような図りごと。また、さまざまな計略、たくらみを巡らすこと。詐欺的な謀略を含み、悪い意味で用いる。

用例 ●彼は**権謀術数**の限りをつくし、出世コースに乗ろうとしています。世渡りがうますぎるのも考えものですね。
類語 ●権謀術策《けんぼうじゅっさく》

長《なが》い物《もの》には巻《ま》かれろ

出典：『神霊矢口渡(しんれいやぐちのわたし)』

自分の力が及ばない相手には、逆らわずに言うことを聞いたほうが無難で得策だということ。権力や勢力の強い者には従ったほうがよいという処世術を表す言葉。

用例 ●納得はいきませんでしたが、**長い物には巻かれろ**と考え、上司の言うことに従いました。
類語 ●大きなものには呑まれよ／泣く子と地頭には勝たれぬ

馬《ば》鹿《か》と鋏《はさみ》は使《つか》いよう

切れの悪いはさみでも使い方次第で結構使えるように、愚か者でも使いようによってはそれなりに役立つということ。人はその能力に応じて用いよという教え。

用例●**馬鹿と鋏は使いよう**といわれるように、もっと人を上手に使ってください。

類語●阿《あ》呆《ほ》と鋏は使いようで切れる

面《めん》従《じゅう》腹《ふく》背《はい》

表向きには素直に従っていたり、こびへつらっていたりしても、内心では背き、反抗していること。他人の失脚を画策するようすを表すこともある。

用例●彼が部長に就任したとき、部のほとんどの人間が**面従腹背**だったことを、彼は全く気付いていませんでした。

類語●面従後言《こうげん》／面従腹誹《ひ》

寄《よ》らば大《たい》樹《じゅ》の陰《かげ》

出典：『毛吹草(けふきぐさ)』

頼るなら、大きくて権力を持つものに頼るほうが得だという処世術。雨や暑い日ざしを避けるなら、大木の下のほうがよいことから。

用例●**寄らば大樹の陰**と思い、就職先には安定性のある大企業を選びました。

類語●大所《おおどころ》の犬となるとも小家《こいえ》の犬となるな

反対●鶏口《けいこう》となるも牛後《ぎゅうご》となる勿れ

態度の変化・逆転

鼬《いたち》の最《さい》後《ご》っ屁《べ》

追い詰められたときに取る非常手段。また、最後に醜態をさらすこと。イタチが窮地に追い込まれたとき、悪臭を放って相手がひるんだすきに逃げることから。

用例 ●辞職に追い込まれた彼女は、去り際に上司の悪口を言いふらし、**鼬の最後っ屁**といわれました。

類語 ●窮鼠猫《きゅうそねこ》を噛む

鬼《おに》の目《め》にも涙《なみだ》

出典：『首引(くびひき)』

鬼でも時には涙を流すといわれるように、人情のかけらもないような人でも、たまには情を感じて慈悲心を起こし、優しい態度を取ることがあるという意。

用例 ●普段は厳しい父も、祖母の葬式では、**鬼の目にも涙**で目をうるませていました。

類語 ●鬼の中にも仏がある

反対 ●鬼の空念仏《そらねんぶつ》

飼《か》い犬《いぬ》に手《て》を噛《か》まれる

出典：『譬喩尽(たとえづくし)』

信頼していた人や面倒を見てあげた人から、思いがけず裏切られること。部下や弟子など目下の人間に裏切られ、損害を受けることをいう。

用例 ●**飼い犬に手を噛まれる**ようなことがあれば、管理職は勤まりません。

類語 ●飼い犬に手を食われる／飼い犬に足を食われる

昨《きの》日《う》の友《とも》は今日《きょう》の敵《てき》

昨日まで友人だった人と、何らかの理由で今日は敵どうしになることもある。とかく人の心は変わりやすく、あてにならないものだということ。

用例 ●**昨日の友は今日の敵**というように、他社へ移り、競争相手になった元同僚もいます。

類語 ●昨日の友は今日の仇《あだ》／昨日の情《なさけ》は今日の仇《あだ》

君《くん》子《し》は豹《ひょう》変《へん》す

出典：『易経(えききょう)』

もともとは、徳の高い人物が自分の過ちに気付き、すぐに改めることをいった。現在では、人が考え方や態度をがらりと変えてしまうことをいう。

用例 ●まさに**君子は豹変す**です。彼は、昨日と全く反対の意見を述べています。

反対 ●小人《しょうじん》は面《おもて》を革《あらた》む

手《て》の裏《うら》を返《かえ》す

突然、人や物事に対する態度をがらりと変えること。他人の態度の急変をいぶかしんだり、非難したりするときに用いる。

用例 ●私の肩書きを知るやいなや、彼は**手の裏を返す**ように愛想がよくなりました。

類語 ●掌《てのひら》を返す／昨日の友は今日の敵／手をかざせば風となり裏がえせば雨になる

木《み》乃《い》伊《ら》取《と》りが木《み》乃《い》伊《ら》になる

出典：『閑窓瑣談(かんそうさだん)』

人を連れ戻しに行った人がそこに住みついて帰ってこないこと。また、他人を説得しに行って、逆に相手に説得されてしまうこと。

用例 ● 悪どい商売をやめるように友人をいさめに行った彼が、まさか仲間になるなんて、**木乃伊取りが木乃伊になる**とはこのことです。

類語 ● 人捕る亀が人に捕られる

出典解説【中国の作品】

● 老子（ろうし）

関連ページ→23、57、68、148、215、233、234

道家の経典。春秋時代（BC770～BC403年）の人で道家の祖、老子の著と伝えられる。2編81章、約5,000字から成り、儒教の仁義道徳に対して「無為自然」の実践を説いた。多くの格言が含まれ、日本の思想・文学に与えた影響も大きい。

● 論語（ろんご）

関連ページ→35、74、75、132、163、176、201、262、278

儒教の基本書「四書」の一つ。BC2世紀頃の成立。20編。孔子の死後、言行や問答を門人がまとめた。儒教の最高道徳「仁《じん》」と、仁の徳による政治を説く。日本においても、奈良時代には知識人の必読書となっていた。

雨《あめ》降《ふ》って地《じ》固まる

出典：『毛吹草(けふきぐさ)』

雨が降ったあと緩んでいた地面が固まるように、困難なことやもめごとがあったあと、かえってよい結果になること。

用例 ● この地域ではもめごとや難しい問題に直面しましたが、**雨降って地固まる**結果となり、住民どうしの結束が強固になりました。

嘘《うそ》から出《で》た実《まこと》

出典：『仮名手本忠臣蔵(かなでほんちゅうしんぐら)』

嘘や冗談のつもりで口にしたことが、偶然にも本当のことになってしまうこと。「嘘より出た誠」ということもある。

用例 ● 見栄をはって「新車を買った」と周りに言っていたら、偶然両親が買ってくれることになったんだ。これぞ**嘘から出た実**だね。

類語 ● 瓢箪《ひょうたん》から駒

起《き》死《し》回《かい》生《せい》

出典：『国語(こくご)』

死にかけている人を生き返らせること。転じて、だめになりかけた物事を、再び望みのある状態に好転させ、立ち直らせること。

用例 ● 瀕死の状態にある財政を再建するためには、**起死回生**の政策が必要です。／試合は９回裏、**起死回生**のホームランで逆転しました。

類語 ● 回生起死／起死再生

窮《きゅう》すれば通《つう》ず

出典：『易経(えききょう)』

どうにもならないぎりぎりの状態にまで陥ったときには、意外にも解決の方法が見つかって、何とかなるものだということ。

用例●**窮すれば通ず**というように、借金で首が回らなくなったとき、思わぬ受注にこぎつけ、何とか切りぬけることができました。

類語●必要は発明の母

漁《ぎょ》夫《ふ》の利《り》

出典：『戦国策(せんごくさく)』

両者が争っているすきに、第三者が何の苦労もせずに、まんまと利益を横取りすることのたとえ。「漁夫の利を得る」という形で使うことが多い。

用例●派閥争いのすきに、どの派閥にも属さないＡ氏が社長に就任し、**漁夫の利**を得ました。

類語●犬《けん》兎《と》の争い／鷸蚌《いっぽう》の争い／鳶《とび》に油揚げを攫《さら》われる／濡れ手で粟《あわ》

竜《りゅう》頭《とう》蛇《だ》尾《び》

出典：『五燈会元(ごとうえげん)』

最初の勢いはどこへやら、あとがまるで振るわないこと。頭は竜のように立派だが、しっぽは蛇のように小さくみすぼらしいことにたとえている。

用例●前半は盛り上がった討論会でしたが、後半は議論が振るわず、**竜頭蛇尾**で終わりました。

類語●頭でっかち尻つぼみ

禍《わざわい》を転《てん》じて福《ふく》と為《な》す

出典：『戦国策(せんごくさく)』

災難に遭ったからといって、それに押しつぶされることなく、うまく処理して、逆によいことに転換させること。

用例●この地域は大地震に見舞われた経験を生かし、強固なインフラを整えました。**禍を転じて福と為す**の好例です。

渡《わた》りに船《ふね》

出典：『法華経(ほけきょう)』

何かをしようとしているときや困っているときに、ちょうど助けになるものが手に入ったり、都合のよいことが起こったりすること。

用例●傘を差し出してくれる人がいたので、**渡りに船**だと入れてもらいました。

類語●闇夜の提灯／旱天《かんてん》の慈雨／日照りに雨

※日常生活全般で好機を得た場合に使える。

出典解説【その他の国々の作品】

● イソップ物語　関連ページ→110

動物寓話集。BC6世紀頃、ギリシアのイソップが語ったものが起源とされる。これに外国起源の話などが加わり、多くの詩人・文人に引用されて今日の形になった。日本では16～17世紀に、翻訳本『伊曽保《いそほ》物語』が刊行されている。

聞《き》いて極《ごく》楽《らく》見《み》て地《じ》獄《ごく》

話に聞いたことと実際に見て体験したことが、大きく違っていること。人から聞く話とその実態にきわめて落差があることを、ユーモアをこめて表現する言葉。

用例 ●合宿ではのんびり練習できると聞いていましたが、実際は厳しいしごきが待っていました。**聞いて極楽見て地獄**とはこのことです。

類語 ●聞くと見るとは大違い

皿《さら》嘗《な》めた猫《ねこ》が科《とが》を負《お》う

主犯がつかまらずに、従犯ばかりがつかまって処罰を受けること。皿にあった魚を食べた猫が逃げ、あとから皿をなめただけの猫がつかまることにたとえている。

用例 ●**皿嘗めた猫が科を負う**ように、犯罪集団の主犯は逃げ、逮捕されるのは小物ばかりです。

類語 ●米食った犬が叩かれずに糠《ぬか》食った犬が叩かれる

獅《し》子《し》心《しん》中《ちゅう》の虫《むし》

出典：『梵網経(ぼんもうきょう)』

味方でありながら害を及ぼしたり、内部から災いを引き起こす者のこと。また、恩を受けた相手に損害を与える行為をいう。

用例 ●上司に何かと目をかけてもらっていたA君でしたが、競合会社に情報をリークしていた**獅子心中の虫**でした。

類語 ●後足《あとあし》で砂をかける／城《じょう》狐《こ》社《しゃ》鼠《そ》

捕《と》らぬ狸《たぬき》の皮《かわ》算《ざん》用《よう》

まだつかまえてもいないタヌキの皮を値ぶみするように、確実でないことについて期待をかけ、もうけの計算や、計画を立てたりすること。

用例 ● この不景気にボーナスをあてにすると、**捕らぬ狸の皮算用**になりますよ。

類語 ● 飛ぶ鳥の献立／穴の貉《むじな》を値段する

庇《ひさし》を貸《か》して母《おも》屋《や》を取《と》られる

出典：『為愚痴物語(いぐちものがたり)』

好意でごく一部を貸したところにつけ込まれ、最後には全部を取られてしまうこと。また、情をかけた相手に、自分の地位や財産を奪われること。

用例 ● 手厚く迎えた役員に会社を乗っ取られてしまいました。**庇を貸して母屋を取られた**のです。

類語 ● 鉈《なた》を貸して山を伐《き》られる

三《みっ》日《か》天《てん》下《か》

地位や権力を手に入れても、わずかな期間しか保持できないこと。明智光秀（あけちみつひで）の天下が短期間で終わったことから。

用例 ● 着任早々の醜聞がたたって、新部長は**三日天下**で左遷の憂き目に遭いました。

類語 ● 三日大名《だいみょう》

好《こう》事《じ》魔《ま》多《おお》し

出典：『琵琶記(びわき)』

よいことがあったり、うまくいっているときには、えてして邪魔されがちであるということ。邪魔が入ったことを残念がるときなどに用いる。

用例●仕事もうまくいっていたのに大けがで入院するなんて、全く**好事魔多し**です。

類語●月に叢雲《むらくも》花に風

月《つき》に叢《むら》雲《くも》花《はな》に風《かぜ》

出典：『薄雪物語(うすゆきものがたり)』

よいことには障害や故障がつきものだということ。名月が群がる雲に邪魔されて見えず、美しい花が風で散らされ、楽しむことができないことにたとえている。

用例●今夜の花火大会は楽しみにしていたのですが、この人ごみに雨まで降ってきて、全く**月に叢雲花に風**です。

類語●好《こう》事《じ》魔《ま》多し

鳶《とび》に油《あぶら》揚《あ》げを攫《さら》われる

不意に大切なものを横取りされること。自分のものだと思っていたものを思いがけない人から取られ、あぜんとすることのたとえ。

用例●私の手柄を彼女に横取りされ、**鳶に油揚げを攫われる**ような腹立たしさを感じています。

類語●漁夫の利

江《え》戸《ど》の敵《かたき》を長《なが》崎《さき》で討《う》つ

思いがけない場所や全く別のことで、以前に受けたうらみをはらすこと。以前の敗者が敗者復活戦をいどむようすなどを面白く表現する言葉。

用例 ● 部長には、囲碁でこっぴどくやられました。その部長をゴルフに誘ったら、「**江戸の敵を長崎で討つ**つもりか」と返されました。

類語 ● 江戸の仇《あだ》を駿《する》河《が》でとる

虎《こ》視《し》眈《たん》眈《たん》

出典：『易経(えききょう)』

相手につけ入って自分の支配下に置く機会や、野望をとげる機会をひそかに狙うようす。虎が獲物を狙い、鋭い目で見下ろすようすにたとえている。

用例 ● A社はかねてから、海外の市場に参入するチャンスを**虎視眈眈**とうかがっていました。／専務は、次期社長の座を**虎視眈眈**と狙っています。

敵《てき》は本《ほん》能《のう》寺《じ》にあり

出典：『日本外史(にほんがいし)』

本当の目的は別のところにあること。明智光秀(あけちみつひで)が毛利氏(もうりし)を攻めると見せて、本能寺の織田信長(おだのぶなが)を討った故事から。

用例 ● 彼がB社との取り引きに力を入れていた訳がようやくわかりました。B社はA社の子会社。**敵は本能寺にあり**というわけです。

類語 ● 敵《てき》本《ほん》主《しゅ》義《ぎ》

朝《ちょう》三《さん》暮《ぼ》四《し》

出典：『列子（れっし）』

見ためは異なるが、同じ結果しかもたらさない手段で人をだまし、ばかにすること。転じて、言葉たくみに人をだまし、おとしめること。

用例 ● 政府の税制改革案は、**朝三暮四**そのものではないでしょうか。／会社では、成果主義という建前のもと、減給という**朝三暮四**が行われています。

出典解説【その他の国々の作品】

● 旧約聖書（きゅうやくせいしょ）

関連ページ → 124

キリスト教の経典のうち、キリスト以前のことを記す。39巻。元々はユダヤ経の聖典であった。神による天地と人間の創造、始祖アダムに始まる古代イスラエルの歴史、律法、詩歌、預言者の言葉などからなる。新約聖書とあわせて、さまざまな地域に波及し、人々の精神に与えた影響は計り知れない。

● 新約聖書（しんやくせいしょ）

関連ページ → 12、42、64、147

キリスト教の経典。キリスト以後のことを記す。27巻。イエス・キリストの生涯と教えを記述した福音書、キリストの弟子の行動を記した使徒行伝、使徒の書簡、ヨハネの『黙示録』からなり、多くのことわざの出典にもなっている。

第7章

自然を表す

● 季節／風景

秋《あき》の日《ひ》は釣瓶《つるべ》落《おと》し

出典：『牡丹平家譚(ぼたんへいけものがたり)』

秋の日が急速に暮れるようす。「釣瓶」とは井戸から水をくみ上げるおけのことで、それが井戸の底へすとんと落ちるようすにたとえている。

用例 ●**秋の日は釣瓶落し**というように、秋の夕べはあっという間に暮れてしまいます。

類語 ●秋の鉈《なた》落とし

反対 ●春の日は暮れそうで暮れぬ

暑《あつ》さ寒《さむ》さも彼岸《ひがん》まで

出典：『諺苑(げんえん)』

夏の残暑は秋の彼岸のころまでで、冬の寒さは春の彼岸のころまでである。春、秋の彼岸を過ぎれば穏やかな気候になるという意味。

用例 ●**暑さ寒さも彼岸まで**といいます。まだ寒さは残るものの、じきに春らしい気候になることでしょう。

類語 ●暑い寒いも彼岸まで／暑さ寒さも彼岸ぎり

国《くに》破《やぶ》れて山河《さんが》在《あ》り

出典：『春望(しゅんぼう)』

戦乱で国が荒れたり、滅んだりしても、自然の山河は昔のままであるということ。世のはかなさと永遠不変の自然を対比して詠んだ、杜甫(とほ)の詩から。

用例 ●戦争の絶えない地域ですが、悠然とたたずむ大自然。まさに**国破れて山河在り**です。

三《さん》寒《かん》四《し》温《おん》

冬、三日ほど寒い日が続き、その後四日ほど暖かい日が続くという、寒暖が繰り返される現象のこと。春が近い兆しだと考えられている。

用例 ●**三寒四温**で水もわずかにぬるむ季節となりました。春の訪れも、もうすぐです。

山《さん》紫《し》水《すい》明《めい》

出典：『題_自画山水_(じがのさんすいにだいす)』

山は太陽の光に映えて紫に見え、川は清らかに澄んでいること。自然の景色が大変美しいことを表した言葉。

用例 ●日本でも屈指の、**山紫水明**の地を旅してきました。／**山紫水明**ののどかな景色が、心をいやしてくれます。

春《しゅん》眠《みん》暁《あかつき》を覚《おぼ》えず

出典：『春暁(しゅんぎょう)』

春の朝の起きづらさをたとえた言葉。春の夜は短い上に寒くも暑くもなく寝心地がよいので、夜明けに気付かずに寝過ごしてしまうということ。

用例 ●**春眠暁を覚えず**で、つい寝坊してしまいました。

天《てん》高《たか》く馬《うま》肥《こ》ゆ

出典：『漢書(かんじょ)』

さわやかで晴れ晴れとした秋の季節をたたえるときにいう。この時期は空が高く澄みきって、馬もよく草を食べて肥えることから。

用例●**天高く馬肥ゆ**る秋というように、スポーツに、レジャーに絶好の季節がやってきました。

類語●秋高く馬肥ゆ／天高く気清し

灯《とう》火《か》親《した》しむべし

出典：『符読_書城南_(ふしてしょのじょうなんをよむのし)』

秋になると涼しくなり、夜も長くなるので、明かりの下で読書をするのに最適である。秋の夜長に、気持ちよく書に親しめという意味。

用例●**灯火親しむべし**といわれるように、毎晩、寝る前にミステリー小説を楽しんでいます。

夕《ゆう》立《だち》は馬《うま》の背《せ》を分《わ》ける

出典：『鷹筑波(たかつくば)』

夕立は局地的に降るものだということ。馬の背の右側と左側で、夕立が降っている側と降っていない側に分かれてしまうようすにたとえている。

用例●この近所では激しい夕立が降りましたが、**夕立は馬の背を分ける**ように、隣の町ではぽつりとも降らなかったようです。

類語●夏の雨は牛の背を分ける

第8章

ワンランク上の物知り表現

● スピーチや手紙で差がつく！

商《あきな》いは牛《うし》の涎《よだれ》

出典：『新日本永代蔵(しんにっぽんえいたいぐら)』

商売は、牛のよだれのように、細く長くとぎれずに続けよということ。一度に大きくもうけようとするより、地味にこつこつと励むべきだという教え。

用例 ● **商いは牛の涎**という言葉があるように、ビジネスの成功には、地道で継続的な努力が欠かせません。

※ビジネスでいましめる場合に使える。

姉《あね》女房《にょうぼう》は身《しん》代《だい》の薬《くすり》

年上の妻は家の中をうまく切り盛りして、夫にもよく尽くすので、家計を豊かにし、家庭円満をもたらす薬のようなものであるということ。

用例 ● **姉女房は身代の薬**というように、彼の年上の奥さんは、本当にしっかり者です。

類語 ● 姉女房は金《かね》の草鞋《わらじ》で探せ／姉女房蔵《くら》が建つ／へら増しは果報持ち

一《いち》押《お》し二《に》金《かね》三《さん》男《おとこ》

出典：『好色盛衰記(こうしょくせいすいき)』

女性の心をとらえる男性の条件は、第一に押しの強さである。第二が金の力、第三が男前のよさであるが、何といっても押しの強さが肝心であるということ。

用例 ● **一押し二金三男**という言葉通り、男性には、いざというときの決断力の強さが求められます。

類語 ● 一暇《ひま》二金三男

一《いち》葉《よう》落《お》ちて天《てん》下《か》の秋《あき》を知《し》る

出典：『文禄(ぶんろく)』

アオギリの落葉から秋の訪れを知るのと同様に、わずかな兆しから、物事の衰えや社会の動きなど、世の中の変化を知ることは大切であるという教え。

用例 ● **一葉落ちて天下の秋を知る**ように、人々の日常会話から世の動向を知ることも大切です。

類語 ● 一葉秋を知る／瓶中《へいちゅう》の氷を睹《み》て天下の寒さを知る

一《いっ》寸《すん》の光《こう》陰《いん》軽《かろ》んずべからず

出典：『偶成(ぐうせい)』

「光陰」とは時間を指し、わずかな時間でも無駄にしてはいけないという、いましめ。特に、若者に対して、時間を惜しんで勉学せよと、励ますときに用いる。

用例 ● **一寸の光陰軽んずべからず**といいます。若いうちに、精一杯勉学に力を注いでください。

類語 ● 光陰人を待たず／歳月は人を待たず／光陰矢の如《ごと》し／盛年重ねて来たらず

命《いのち》長《なが》ければ蓬《ほう》莱《らい》に会《あ》う

出典：『沖津白浪(おきつしらなみ)』

長生きをしていれば、意外な幸運にめぐり合えるということ。「蓬莱」とは、中国で古来、不老不死の地といわれた想像上の山を指す。

用例 ● **命長ければ蓬莱に会う**といいますし、古希を迎え、これからの余生が楽しみです。

類語 ● 命長ければ蓬莱を見る

反対 ● 命長ければ恥多し

魚《うお》の目《め》に水《みず》見《み》えず、人《ひと》の目《め》に空《そら》見《み》えず

出典：『埤雅(へいが)』

あまりにも身近であるために、そのもののありがたみや価値を意識しないこと。魚は水を意識せず、人は空気を意識しないことにたとえている。

用例 ●**魚の目に水見えず、人の目に空見えず**というように、いつも身近にいる家族のありがたみも、普段はあまり意識しないものです。

類語 ●目はその睫《まつげ》を見ず

牛《うし》も千《せん》里《り》馬《うま》も千《せん》里《り》

足が遅い牛も足が速い馬も、速さの違いこそあれ、目的地に着くのは同じである。物事は最後まで成し遂げればよいのだから、慌てることはないということ。

用例 ●**牛も千里馬も千里**と申します。それぞれの目標に向かって、着実に進みましょう。

類語 ●早牛《はやうし》も淀《よど》、遅牛《おそうし》も淀《よど》

※ビジネスや学校で励ます場合に使える。

枝《えだ》先《さき》に行《ゆ》かねば熟《じゅく》柿《し》は食《く》えぬ

大きな利益を得たいなら危険も覚悟せよということ。熟したおいしそうな柿を取るには、危険を冒して、細い枝先まで登らなければならないことから。

用例 ●**枝先に行かねば熟柿は食えぬ**という思いで、一か八かチャレンジしてみました。

類語 ●虎穴に入らずんば虎子を得ず

反対 ●君子危うきに近寄らず

枝《えだ》を伐《き》って根《ね》を枯《か》らす

出典：『太平記(たいへいき)』

難しいことをやり遂げるには、手近なことから始めて、順次処理するのがよいということ。木を枯らすには、まず枝を切り、徐々に根を枯らすのがよいことから。

用例●この仕事は、**枝を伐って根を枯らす**ように、順を追って処理しなければうまくいきません。

反対●根を掘って葉を枯らす

※ビジネスシーンなどのいましめに使える。

遠《えん》交《こう》近《きん》攻《こう》

出典：『史記(しき)』

遠い国と親しく交わり、近い国を攻める外交上の政策。中国の戦国時代、秦（しん）の范雎（はんしょ）が王に進言した政策からきた言葉。

用例●わが国は、対立する隣国に対し、**遠交近攻**の政策をとっています。／わが社も**遠交近攻**を採用して、業界ナンバーワンをめざそう。

※ビジネスで使える。

王《おう》侯《こう》将《しょう》相《しょう》いずくんぞ種《しゅ》有《あ》らんや

出典：『史記(しき)』

家柄や血統に関わらず、人は努力次第で立身出世できるという意。国王、諸侯、将軍、宰相になるのに出自は関係ないという、中国の古い言葉から。

用例●**王侯将相いずくんぞ種有らんや**というように、トップに立つ機会は誰にでもあります。

類語●名将《めいしょう》に種なし

反対●蛙の子は蛙／瓜の蔓《つる》に茄子《なすび》はならぬ

教《おし》うるは学《まな》ぶの半《なか》ば

出典：『書経（しょきょう）』

人に教えるためには自分も勉強することが必要であるから、教えることの半分は自分自身が学ぶことであり、それによって自分の学問も進歩するということ。

用例 ● 教鞭をとるにあたり、**教うるは学ぶの半ば**という言葉を肝に銘じたいと思います。

※ビジネスや会社でいましめる場合に使える。

斧《おの》を研《と》いで針《はり》にする

斧を研いで針にするのは難しいが、やればできないことはない。同様に、どんなに困難なことでも、忍耐と執念で行えば最後には成功するという教え。

用例 ● 難しい課題ですが、**斧を研いで針にする**気概で取り組みたいと思います。

類語 ● 鉄杵《てっしょ》を磨く／石臼に針を刺す

※日常生活全般で努力の大切さを説く場合に使える。

河《か》海《かい》は細《さい》流《りゅう》を択《えら》ばず

出典：『史記（しき）』

度量の大きな人物は、誰でも受け入れるということ。大河やそれが流れ込む海は、あらゆる支流の水を受け入れることにたとえている。

用例 ● 彼は、**河海は細流を択ばず**という言葉がよく似合う、懐の広い人物です。

類語 ● 人の疝《せん》気《き》を頭痛に病む／大海は芥《あくた》を択ばず／泰山《たいざん》は土壌を譲らず

下《か》学《がく》して上《じょう》達《たつ》す

出典：『論語(ろんご)』

学問は、まず身近で簡単なところから学び始め、徐々に進んで、やがて高度な段階に達するのがよいということ。学校で努力の大切さを説く場合に使える。

用例 ● **下学して上達す**というように、身近な疑問を出発点に学び始め、その分野の権威になった人は数多くいます。

類語 ● 下学の功／下《か》学《がく》上《じょう》達《たつ》

嘉《か》肴《こう》有《あ》りと雖《いえど》も食《く》らわずんばその旨《うま》きを知《し》らず

出典：『礼記(らいき)』

おいしい料理の味も食べなければわからないように、何事も体験することなしに、その値打ちはわからないということ。ビジネスや学校など日常生活全般で使える。

用例 ● **嘉肴有りと雖も食らわずんばその旨きを知らず**というように、人も付き合ってみなければ、人柄はわからないものです。

類語 ● 馬には乗ってみよ、人には添うてみよ

烏《からす》は百《ひゃく》度《ど》洗《あら》っても鷺《さぎ》にはならぬ

もって生まれたものを変えようとしても、無駄だということ。また、人はその個性を生かすべきであるということ。

用例 ● **烏は百度洗っても鷺にはならぬ**ですから、芸術も、自分ならではの個性で勝負するべきです。

類語 ● 鷺《さぎ》は洗わねどもその色白し

強《きょう》将《しょう》の下《もと》に弱《じゃく》兵《へい》無《な》し

出典：『題㆓連公璧㆒(れんこうのへきにだいす)』

優れた指導者に従っている者は、おのずと強くなるということ。また優れた人の周囲には、自然と人材が集まってくるということ。

用例●**強将の下に弱兵無し**というように、優れた監督の下でこそ、選手の強化が図れます。

類語●勇将の下に弱卒なし

※ビジネスで使える。

琴《きん》瑟《しつ》相《あい》和《わ》す

出典：『詩経(しきょう)』

夫婦仲がよく、仲むつまじいようす。「琴」は琴、「瑟」は大きな琴のことで、二つの楽器の音が調和するさまから。結婚披露宴で祝辞を述べる場合に使える。

用例●**琴瑟相和す**ように、仲のよいお二人です。

類語●鴛鴦《えんおう》の契り／連理《れんり》の契り／連理の枝／比翼《ひよく》連理／和すること琴瑟の如し

反対●琴瑟調《ととの》わず

錦《きん》上《じょう》に花《はな》を添《そ》う

出典：『王安石即事詩(おうあんせきそくじのし)』

美しい錦に花を添えるように、美しく立派なものに、さらに別の美しく立派なものを添えること。また、おめでたいことに、さらによいことが重なることをいう。

用例●立派な披露宴に恩師の先生方までご列席とは、**錦上に花を添う**ような華やかさです。

類語●錦上花を敷く

※結婚披露宴やパーティの席で使える。

孔《こう》子《し》も時《とき》に会《あ》わず

出典：『徒然草(つれづれぐさ)』

才能のある人でも、機会がなければ世間に受け入れられないということ。孔子が時流に合わず、長い不遇の時代を送ったことから。

用例 ●**孔子も時に会わず**の例にもれず、故人の才能が世間に認められたのは、その晩年になってからのことでした。

類語 ●聖人も時に会わず／孔子も道行われず

志《こころざし》有《あ》る者《もの》は事《こと》竟《つい》に成《な》る

出典：『後漢書(ごかんじょ)』

やり遂げようという強い意志がある人は、困難に遭ってもくじけることなく、いつかきっと成し遂げるということ。

用例 ●**志有る者は事竟に成る**というように、彼は困難にくじけず、事業を成功させました。

類語 ●志あれば成る／思う念力岩をも通す

※ビジネスや学校で励ます場合に使える。

心《こころ》は小《しょう》ならんことを欲《ほっ》して、志《こころざし》は大《だい》ならんことを欲《ほっ》す

出典：『淮南子(えなんじ)』

心づかいは細かいところにもすみずみまで行き届くのが望ましいけれど、志は高く、大きくありたいものであるということ。

用例 ●**心は小ならんことを欲して、志は大ならんことを欲す**といいます。大きな志を抱きつつ、人に対する思いやりも大切にしましょう。

類語 ●胆大心小《たんだいしんしょう》

死《し》せる孔《こう》明《めい》、生《い》ける仲《ちゅう》達《たつ》を走《はし》らす

出典：『三国志(さんごくし)』

優れた人物はその死後も、その威光によって生きている人を恐れさせるということ。「孔明」「仲達」はともに中国の三国時代の武将で、宿敵の間柄であった。

用例●**死せる孔明、生ける仲達を走らす**というように、偉大な功績を残した彼女は、その死後にも多大な影響を及ぼしました。

疾《しっ》風《ぷう》に勁《けい》草《そう》を知《し》る

出典：『後漢書(ごかんじょ)』

困難に遭遇すると、人の意思の強さや節操の固さがわかるということ。「勁草」は強い草の意で、強風に吹かれると弱い草は折れ、強い草の存在がわかることから。

用例●**疾風に勁草を知る**との言葉通り、この難しい問題への対応ぶりからも、彼の優れた器量がうかがえます。

類語●道遠くして驥《き》を知る

蛇《じゃ》は寸《すん》にして人《ひと》を呑《の》む

出典：『淮南子(えなんじ)』

大蛇は小さなころから人をのもうとするほどの気概を持つという。同様に、優れた人は、幼いころから凡人とは違った素質を見せるということ。

用例●天才と評判のその子どもには、**蛇は寸にして人を呑む**ような気迫がありました。

類語●蛇は一寸にしてその気を得る／生る木は花から違う／栴檀《せんだん》は二葉より芳《かんば》し

春《しゅん》秋《じゅう》に富《と》む

出典：『史記(しき)』

年齢が若く、将来性が十分にあることのたとえ。「春秋」とは歳月を指し、将来の年月が豊富であるということから。

用例 ● **春秋に富む**若者たちの、これからの活躍を期待しています。

類語 ● 先がある／前途洋洋／春秋長し

反対 ● 春秋高し

正《しょう》直《じき》の儲《もう》けは身《み》につく

まっとうに働いて得た金は、そう簡単にはなくならないということ。悪いことやずるいことでもうけず、まじめに働くようにといましめるときに用いる。

用例 ● 世の中うまい話ばかりではないですよ。**正直の儲けは身につく**といいますから、もう少しまじめに考えなさい。

反対 ● 悪銭身につかず

人《じん》生《せい》意《い》気《き》に感《かん》ず

出典：『述懐(じゅっかい)』

人間は、自分を信頼してくれる相手の心意気に感動して行動するものであり、名誉や金のために行動するのではないということ。

用例 ● 尊敬する大先輩の頼みとあっては、資本参加もやぶさかではありません。**人生意気に感ず**とはこのことでしょう。

類語 ● 士は己を知る者のために死す

好《す》いた同士《どうし》は泣《な》いても連《つ》れる

愛し合って一緒になった男と女は、たとえ苦労することがあっても、一生連れ添って生きていくことができるということ。夫婦の人生を応援する場合に使える。

用例●私たち夫婦のこれまでの人生は山あり谷ありでしたが、**好いた同士は泣いても連れる**という言葉どおり、乗り切ってきました。

反対●好き連れは泣き連れ

好《す》きには身《み》を窶《やつ》す

好きなことのためには、やせるほどの苦労をしても平気であるということ。他人の趣味への熱中ぶりを批評したり、自分や身内を謙遜したりするときに用いる。

用例●娘は**好きには身を窶す**という言葉通り、モグラの研究に打ち込み、他のことにはほとんど関心を持たずに大学生活を過ごしました。

類語●好きの道に辛労《しんろう》なし／好きの道には薦被《こもかぶ》る

精《せい》神《しん》一《いっ》到《とう》何《なに》事《ごと》か成《な》らざらん

出典：『朱子語類(しゅしごるい)』

精神をその一点に集中させて行えば、どんなことでもできないことはないという教え。集中力の大切さを説いたり、人を励ましたりするときなどに用いる。

用例●**精神一到何事か成らざらん**というように、難問もよく検討すれば、答えが出るものです。

類語●一念天に通ず／至誠天に通ず／石に立つ矢／念力岩を通す／一念岩をも徹《とお》す

心に残る　名言・金言

**はじめに計画せよ。
然る後に実行せよ。**

モルトケ［1800～91 ドイツの軍人］

何事も、しっかりとした計画と着実な実行の両方がそろって初めてうまくいくものである。わかっているつもりでも実現は難しい真理を突く言葉であり、新年会や朝礼などで引用したい。

**ホームインするには、
一塁、二塁、三塁と
ベースを踏んでいかねばならない。**

ルース［1895～1948 アメリカのプロ野球選手］

ホームラン・バッターが各塁を一周しなければならないのと同様に、世の中にはそれをしなければ先へ進めないルールや手順が存在する。物事にせっかちになりがちな人に贈りたい名言である。

**もともと地上に道はない。
歩く人が多ければ、
それが道になるのだ。**

魯迅（ろじん）［1881～1936 中国の文学者］

道なき道、未開拓の分野を進むには大きな苦労が伴う。しかし、同時に何事にも換えがたい充実感や自信も手に入るに違いない。開業や入学を祝う場で、励ましの言葉として使うとよいだろう。

盛《せい》年《ねん》重《かさ》ねて来《きた》らず

出典：『雑詩十二首（ざっしじゅうにしゅ）』

もともとは、若いときは二度と来ないので若いうちに人生を楽しむべきという意味。最近では、時間を惜しんで勉学に励むよう、いましめる意で用いる。

用例 ● **盛年重ねて来らず**です。あとで悔やまないように、若いうちにしっかり勉強しましょう。

類語 ● 歳月人を待たず／光陰《こういん》矢の如《ごと》し／一寸の光陰《こういん》軽んずべからず／今日の後に今日なし

積《せき》善《ぜん》の家《いえ》に余《よ》慶《けい》あり

出典：『易経（えききょう）』

よい行いを積み重ねた人の家には、その報いとして思いがけない幸せがもたらされ、子孫にまでその恩恵が及ぶということ。

用例 ● **積善の家に余慶あり**というように、当家の繁栄も先祖からの積み重ねがあってこそです。

類語 ● 陰徳あれば必ず陽報あり

反対 ● 積悪《せきあく》の家に余《よ》殃《おう》あり

糟《そう》糠《こう》の妻《つま》

出典：『後漢書（ごかんじょ）』

貧しく苦しかったときからともに苦労し、長年連れ添ってきた妻のこと。夫が敬意をこめて、自分の妻のことをいうときに用いる。

用例 ● 今こうして新たな事業を始められるのも、**糟糠の妻**のおかげです。

類語 ● 糟糠の妻は堂より下さず

惻《そく》隠《いん》の心《こころ》は仁《じん》の端《たん》なり

出典：『孟子（もうし）』

相手に同情する気持ちは、全ての人に思いやりと愛の気持ちであふれる「仁」の境地に至る入口であるということ。

用例 ● **惻隠の心は仁の端なり**というように、子どもには、相手の気持ちを思いやる心を教えなければなりません。

※人間関係に関していましめる場合に使える。

泰《たい》山《ざん》は土《ど》壌《じょう》を譲《ゆず》らず

出典：『戦国策（せんごくさく）』

中国の泰山はどんな土でも受け入れたから大きな山になった。同様に、大きなことをなそうとする人は、他人の意見をよく聞き、見識を広げるべきだということ。

用例 ● **泰山は土壌を譲らず**というように、大きなことをなそうとするなら、少数の意見にも耳を傾けなさい。

類語 ● 大海は芥《あくた》を択《えら》ばず／河海は細流を択ばず

斃《たお》れて后《のち》已《や》む

出典：『礼記（らいき）』

死ぬまでやめないこと。生命のある限り、ひたすら努力を続けること。継続的に努力する決意を表明するときに用いる。

用例 ● この事業には、**斃れて后已む**決意で取り組みます。

類語 ● 死して後已む

※努力の大切さを説く場合に使える。

知《ち》者《しゃ》は惑《まど》わず勇《ゆう》者《しゃ》は懼《おそ》れず

出典：『論語(ろんご)』

学識の深い人や知恵の豊かな人は、ことにあたって判断に迷うことはなく、本当に勇気のある人は、信念があるので怖がることはないという意。

用例 ● **知者は惑わず勇者は懼れず**です。若いみなさんも、自らの知恵と勇気を生かして、たくましく成長していってください。

※日常生活全般で励ます場合に使える。

手《て》習《なら》いは坂《さか》に車《くるま》を押《お》す如《ごと》し

出典：『松屋筆記(まつやひっき)』

勉強は少しでも油断して怠けると、すぐにあと戻りしてしまうということ。学問は日ごろの努力が大切であるといういましめ。

用例 ● 受験勉強も、**手習いは坂に車を押す如し**というように、4月からの毎日の努力が結果につながるのです。

遠《とお》くて近《ちか》きは男《なん》女《じょ》の仲《なか》

出典：『枕草子(まくらのそうし)』

昨日まで赤の他人どうしだった二人が、次の日には恋人や夫婦になることもある。縁がないように見える男と女が、意外に結ばれやすいものであるということ。

用例 ● 付き合い始めて三日で結婚を決めるカップルもいます。やはり、**遠くて近きは男女の仲**なのでしょうか。

類語 ● 遠くて近きは恋の道

年《とし》問《と》わんより世《よ》を問《と》え

人を判断するときは、年齢の多い少ないではなく、その人の人格や人生経験の中身、業績を問題にしなさいという教え。

用例 ● 人事は勤続年数だけでなく、これまでの経歴や業績も考慮してください。**年問わんより世を問え**というではありませんか。

※ビジネスでいましめる場合に使える。

虎《とら》は死《し》して皮《かわ》を残《のこ》し人《ひと》は死《し》して名《な》を残《のこ》す

出典：『十訓抄(じっきんしょう)』

虎が死んだあとに美しい毛皮を残すように、人は生前の功績によって死後に名声を残す。死後の名誉を汚さないように、立派な生涯を送りなさいという教え。

用例 ● **虎は死して皮を残し人は死して名を残す**といいます。故人もそのすばらしい功績によって、永遠にその名を残すことでしょう。

類語 ● 人は一代名は末代《まつだい》

名《な》を竹《ちく》帛《はく》に垂《た》る

出典：『後漢書(ごかんじょ)』

その功績によって歴史に名を残し、名誉が後世に伝えられることのたとえ。「竹帛」とは書物や歴史のことで、「垂る」は残すの意味。

用例 ● 彼女はこれまで不治といわれた病気の治療方法を確立し、**名を竹帛に垂る**功労者となりました。

類語 ● 功名を竹帛に垂る／竹帛に垂る／竹帛の功

似《に》合《あい》似《に》合《あい》の釜《かま》の蓋《ふた》

釜にぴったり合うふたがあるように、どんな人にも、それぞれに似合いの相手がいるということ。身内を謙遜するときに使うことが多い。

用例 ● 息子夫婦の、互いの欠点を補い合う連係ぶりは、**似合似合の釜の蓋**という表現がぴったりです。

類語 ● 破れ鍋に綴じ蓋／似たもの夫婦

花《はな》咲《さ》く春《はる》に会《あ》う

出典：『拾遺集(しゅういしゅう)』

花がいっせいに咲く春がくるように、時代がめぐってきて世に認められること。また、これまで不遇だった人が、実力を認められて活躍すること。

用例 ● 長い間不遇だった彼も、近年、**花咲く春に会う**ように、その作品が脚光を浴びるようになりました。

※祝いの席や人を良く評価する場合に使える。

人《ひと》こそ人《ひと》の鏡《かがみ》なれ

出典：『書経(しょきょう)』

自分自身の行いを正したり、至らない点を改めたりするには、他人の言動をよく観察し、それを手本にするのが最良の方法だということ。

用例 ● **人こそ人の鏡なれ**といいますから、他人を批判する前に、自分が同じようなことをしていないかどうか、考えてみましょう。

類語 ● 人の振り見て我が振り直せ／他山の石

百《ひゃく》尺《しゃく》竿《かん》頭《とう》に一《いっ》歩《ぽ》を進《すす》む

出典：『景徳伝灯録(けいとくでんとうろく)』

常に向上心を忘れず、ある目的や境地に達しても、さらに自分を高めようと努力すること。また、工夫の上に工夫を重ねて、絶えず向上を図ること。

用例 ●**百尺竿頭に一歩を進む**心意気で、たゆまぬ努力をもって研究を続けます。／**百尺竿頭に一歩を進む**ように、商品の性能を年々向上させてきました。

百《ひゃく》戦《せん》百勝《ひゃくしょう》は善《ぜん》の善《ぜん》なる者《もの》に非《あら》ず

出典：『孫子(そんし)』

たとえ勝ち戦でも戦えば何らかの損害が出る。百回戦って百勝するより、はかりごとを用いて、戦わずして勝つことのほうが最善の策であるということ。

用例 ●**百戦百勝は善の善なる者に非ず**といいますから、多数のライバル達に戦わずして勝つ方法はないものかと考えました。

※ビジネスで使える。

百《ひゃく》里《り》を行《ゆ》く者《もの》は九十《きゅうじゅう》を半《なか》ばとす

出典：『戦国策(せんごくさく)』

大きな目標を達成するためには最後の詰めが肝心である。物事が九分通り進んだ時点をまだ半ばであると考え、最後まで気を抜いてはならないという教え。

用例 ●**百里を行く者は九十を半ばとす**というように、名匠といわれる人は、最後の最後までこだわって作品を仕上げるものです。

類語 ●百里の道は九十里が半ば

船《ふね》は帆《ほ》で持《も》つ、帆《ほ》は船《ふね》で持《も》つ

船と帆は二つそろってこそ機能を果たす。同様に、世の中は持ちつ持たれつの関係で、互いに助け合って成り立っているということ。

用例●共同経営者のＡ君とは、**船は帆で持つ、帆は船で持つ**といった間柄です。／Ｂ社を切り捨てるのは、**船は帆で持つ、帆は船で持つ**関係だったのに、お互いに不利益になりますよ。

古《ふる》木《き》に手《て》をかくるな、若木《わかぎ》に腰掛《こしか》くるな

年老いて将来性のないものを頼らず、また将来性のあるものは成長を妨げず、大切に育てなさいという教え。

用例●若手経営陣は、**古木に手をかくるな、若木に腰掛くるな**という方針で人事システムを構築すべきだと考えています。

※ビジネスでいましめる場合に使える。

帆《ほ》掛《か》け舟《ぶね》に櫓《ろ》を押《お》す

力のあるものにさらに勢いを加えること。帆に風を受けて走っている船で櫓を漕ぐと、ますますスピードが増すことから。

用例●市民運動は大量の署名を集め、**帆掛け舟に櫓を押す**かのように勢いづきました。

類語●駆《か》け馬に鞭《むち》／流れに棹さす／火に油を注ぐ／火上油《かじょう》を加《くわ》う

牡《ぼ》丹《た》餅《もち》でほっぺをたたかれる

出典：『俚諺集覧(りげんしゅうらん)』

思いがけない幸運にめぐり合うことや、心地がよいことのたとえ。「牡丹餅でほっぺをたたかれるよう」という形で使うことが多い。

用例 ● あの人から誕生日にプレゼントをもらえるなんて、**牡丹餅でほっぺをたたかれる**ような心境です。

類語 ● 牡丹餅で腰を打つ

惚《ほ》れて通《かよ》えば千《せん》里《り》も一《いち》里《り》

ほれ込んだ人や物事のためなら、千里（約4,000km）の道のりを一里に感じてしまうほど苦にならない。好きなもののためには労苦を惜しまない心境をたとえた言葉。

用例 ● **惚れて通えば千里も一里**で、遠距離恋愛も苦になりません。／A社との提携にこぎつけるまでには苦労もありましたが、**惚れて通えば千里も一里**の勢いで乗り切りました。

勝《まさ》るを羨《うらや》まざれ劣《おと》るを卑《いや》しまざれ

出典：『志賀(しが)』

人が自分より優れていることをうらやましがったり、自分より劣っていることを軽蔑してはいけない。人に振りまわされることなく、自分の道を行くべきだということ。

用例 ● **勝るを羨まざれ劣るを卑しまざれ**の精神で、得意分野に精進してきました。

類語 ● 我が道を行く

※ビジネスや学校でいましめる場合に使える。

学《まな》びて厭《いと》わず教《おし》えて倦《う》まず

出典：『論語(ろんご)』

嫌がることなく貪欲に学び、飽きることなく人に教えるという意味で、学問・教育に熱心に力を注ぐようすをあらわす言葉。

用例●当校は**学びて厭わず教えて倦まず**を校風とし、学術研究と教育の双方に力を入れています。

※ビジネスや学校で励ます場合に使える。

迷《まよ》わぬ者《もの》に悟《さと》りなし

物事や自分自身に疑問を感じたり、迷いを抱いたりしない人は、悟ることもない。迷うからこそ悟りも開けるのだという教え。

用例●**迷わぬ者に悟りなし**というように、悩むことや疑問を持つことは、人が成長するための第一歩なのです。

類語●大疑《たいぎ》は大悟《たいご》の基《もと》

身《み》の内《うち》の財《ざい》は朽《く》ちることなし

出典：『諸道聴耳世間猿(しょどうきききみみせけんざる)』

金銭などの財産は使えばなくなってしまうのに対し、努力して身に付けた技術や知識は決して無駄にならず、一生役に立つものであるということ。

用例●**身の内の財は朽ちることなし**といいます。自ら努力して手に入れた知識や技術はきっと将来役に立つ日が来ることでしょう。

類語●身の内の宝は朽ちることなし

実《みの》る稲《いな》田《だ》は頭《あたま》垂《た》る

稲穂が実ると垂れ下がるように、人も徳や学問を積めば積むほど腰が低く、控え目になるということ。また、そのようにせよという教え。

用例 ●**実る稲田は頭垂る**というように、その分野に秀でた人ほど腰が低く、慎ましいものです。

類語 ●実るほど頭の下がる稲穂かな

名《めい》将《しょう》に種《たね》なし

名将といわれる人は、その血統から生まれるものではなく、本人の努力や才能によってなるものであるということ。ビジネスや学校で努力の大切さを説く場合に使える。

用例 ●**名将に種なし**というように、トップの交代は世襲にこだわる必要はありません。

類語 ●王侯将相《おうこうしょうしょう》いずくんぞ種《しゅ》有らんや

反対 ●将門将あり

面《めん》壁《へき》九《く》年《ねん》

出典：『碧巌録(へきがんろく)』

忍耐強く、一つのことをやり通すこと。達磨大師（だるまたいし）が壁に向かったまま九年間座禅を続け、悟りを開いたという故事から。

用例 ●**面壁九年**、思いのたけを綴ったエッセイをついに出版しました。／世界初の発明に至るまでには、**面壁九年**の苦節がありました。

※日常生活全般で努力の大切さを説く場合に使える。

索　引

執筆協力／林田　史（アイディアバンク）

編集協力／有限会社テクスタイド
能井聡子
ＤＴＰ／有限会社テクスタイド
田浦裕朗
山田ひとみ

ことわざと四字熟語が場面に合わせてすぐ引ける大辞典

編　者／永岡書店編集部
発行者／永岡修一
発行所／株式会社永岡書店
〒176-8518 東京都練馬区豊玉上1-7-14
電話：03-3992-5155（代表）
03-3992-7191（編集）
印　刷／精文堂印刷
製　本／若林製本

ISBN4-522-42187-7 C0581